l'Oustau de Baumanière

Les Baux de Provence

Cinquante recettes du soleil
pour fêter cinquante ans d'art de vivre en Provence

À Thomas, mon fils.

Conception, direction artistique, réalisation
Danielle Pampuzac et George Wilson
Editions des Places

© Editions du Rocher 1995
28, rue Comte Félix Gastaldi - 98000 Monaco
ISBN : 2-268-02108-4
Sodis : 941 684 2

Jean-André Charial

sur une idée de Pierre Defendini

l'Oustau de Baumanière

Les Baux de Provence

Photographies Robert Terzian

Ce sont les passions et non les intérêts
qui mènent le monde.
Alain

Éditions du Rocher
Éditions des Places

S O M M A I R E

Noël 1945. A cinquante ans passés, Raymond Thuilier créait l'Oustau de Baumanière dans l'un des plus beaux paysages de Provence. Très vite, la maison allait devenir un haut lieu gourmand de réputation mondiale.

Un demi-siècle plus tard, Jean-André Charial perpétue la "tradition Baumanière" instaurée par son grand-père. Cette tradition est à la fois une esthétique et une éthique. Elle marie l'art de recevoir à une certaine idée de la gastronomie qui mêle la sensibilité aux nourritures terrestres et la recherche passionnée de nouvelles alliances de saveurs.

Ce livre est né du désir de marquer cet anniversaire, de mesurer le chemin parcouru, d'évoquer les rencontres et les amitiés qui en sont nées. De l'envie, aussi, de célébrer la beauté des Alpilles et le charme des vallons qui composent l'écrin de l'Oustau.

Mais il s'agit d'abord d'un recueil de recettes dédiées à ceux pour qui l'art culinaire est inséparable de l'art de vivre. Jean-André Charial nous révèle ici quelques uns des secrets de "l'esprit Baumanière". Pour que les joies de la table soient de toutes vos fêtes. Ses préparations raffinées, bien que simples à réaliser pour la plupart, sont destinées à réjouir des convives heureux d'être ensemble, à sublimer des moments rares en multipliant les plaisirs : plaisirs des papilles et plaisirs des yeux, plaisirs du partage et de l'amitié.

Ci-dessus : le village des Baux vu de la Guigou,
résidence hôtelière de charme de l'Oustau de Baumanière.
Page précédente : la Guigou.

ℒes Baux de Provence

"Il ne suffit pas que l'homme ait le talent de l'accueil et qu'il excelle dans l'art de vivre pour lui-même et pour les autres, il faut encore qu'il sache choisir le site où exercer cet art et que la nature y ait eu, avant lui, du génie"

Maurice Druon

Les Alpilles sont une terre de vibrations. Trouées de vallons ombreux, elles surgissent de la garrigue et des bosquets de pins comme une de ces montagnes bibliques où se retiraient les anachorètes avant d'aller prêcher la bonne parole aux belliqueuses tribus de la plaine. Ici la paix règne. Elle n'empêche pas une foule de sensations, d'émotions, d'étonnements. La roche, surmontée d'un château, épaulée d'éboulis verdoyants, casse des perspectives qui, de vergers en pacages à moutons, de lignes de cyprès en clochers, emmènent le regard vers la Crau, la Camargue et la Méditerranée.

La lumière du Sud noie ces lointains. Dans les Alpilles, elle sculpte les falaises, argente les oliveraies, joue dans la pénombre des pinèdes crissantes de cigales. Selon les heures et les jours, les multiples bleus qu'elle fabrique donnent, d'un même observatoire, cent visions différentes d'un même paysage.

Ici, le plus souvent, le climat est tendre. Quand il perd la mesure, il est capable de violences inouïes, canicule qui terrasse hommes, bêtes et plantes, orages d'apocalypse, trombes, tempêtes, gelées brutales, neiges inattendues. Mais ce pays sait aussi se faire aimer par gros temps. Quand le ciel s'assombrit, le gris bleu des nuages fait chanter le blanc des falaises. Alors, le vent s'amuse à faire ployer les cyprès, mugir les pins, siffler la roche. Avec la pluie pour alliée, il travaille la pierre et lui donne des allures humaines, animales ou sorcières.

En bas, la mer, retirée depuis des milliers d'années, a laissé une terre généreuse. Pour que vienne l'homme, qu'il sème son blé, plante sa vigne, coupe les branches et taille les pierres de sa maison. Pour s'imprégner de l'esprit des lieux, il faut monter. Les sentiers de crêtes conduisent à des belvédères naturels où s'offrent de somptueux panoramas. Les repères sont simples. A l'Ouest, le Rhône, les donjons de Beaucaire et de Tarascon, les tours de Montmajour; au Sud, la couronne des arènes d'Arles .

"Sorcière" des Baux, découpée par le Mistral et la pluie dans le calcaire des Alpilles.

15

Vu de loin, le village des Baux évoque une cité fantôme. Sans trop forcer votre imagination, vous y verrez Balthazar, l'un des trois mages de la Nativité, dont la légende dit qu'il partit de Provence, vous entendrez l'écho du ressac qui jadis battait la falaise. Et vous soupçonnerez que les grottes alentour abritent un peuple de fées et de sorcières.

Au cours de vos promenades, vous surprendrez sans doute l'envolée d'une nichée de perdreaux ou la fuite apeurée d'un lapin. Au retour, vous rencontrerez peut-être un "papet", aux cheveux blancs, au regard débordant de tendresse, qui apprend la colline, ses bêtes et ses plantes, à son petit-fils.

Après votre marche, vous dégusterez l'anis du pays. D'aucuns en prépareraient encore chez eux. Ce n'est qu'une rumeur. Que vous le consommiez sur une terrasse ou dans un commerce — car dans le Sud les épiceries sont déjà des bazars — son goût oriental de coco vous rappellera les "bois" de réglisse que les enfants sucent depuis toujours, à la sortie de l'école. À l'heure du Midi, au moment où le soleil se prépare à clouer les bêtes au sol et à écraser les platanes, au moment où le cabaretier pense à la sieste qu'il va faire, le tintement des glaçons fera pour vous un bruit exquis.

Et puis, au soir tombé, vous "entendrez" le silence impressionnant des nuits d'été, criblées d'étoiles filantes qui viennent mourir sur les rochers des Baux.

Si vous connaissez déjà ces roches, ces arbres et ces gens, ces soleils et ces vents, ces herbes et ces odeurs, je sais que vous les aimez. Que vous avez toujours plaisir à les retrouver. Peut-être même vous ont-ils envoûté. Parce que les Baux de Provence ne composent pas seulement un fabuleux paysage. C'est aussi un lieu où souffle l'esprit.

Ici mythe et histoire se mêlent aux traditions. On sait de manière certaine que, depuis la nuit des temps, l'homme s'est trouvé bien dans ce pays. Il s'est installé dès le néolithique dans les escarpements qui le protégeaient. À l'âge du fer, il se mit à construire des habitations autour des nombreux points d'eau.

Un aperçu des chaos calcaires du massif des Alpilles.

Les Romains ont marqué les Alpilles d'empreintes indélébiles. Ils y créèrent des voies de communication, des aqueducs et, sous Auguste, ils y édifièrent quelques monuments dont les vestiges, très visités, évoquent des gloires enfuies et d'incessants affrontements. Héraclès, en lutte contre les Ligures, courait, tout près d'ici, dans les cailloux de la Crau.

Au Moyen Âge, le village fortifié par une famille puissante soutint les sièges des Catalans et des Comtes de Provence avant que Louis XI l'érige en baronnie royale. Contrainte à se détruire sous Louis XIII, la cité passa – avec la seigneurie de Saint Rémy – à la Maison de Monaco à la suite d'un traité, tenu longtemps secret, signé à Peronne en 1641.

Jusqu'à la Révolution, elle sera le refuge de mécontents de tous bords et de toutes confessions. Puis, le château désert et la ville morte devinrent ruines grandioses, témoignage silencieux d'un passé où les troubadours chantaient les gentes dames et les princes guerriers.

17

Au pied du massif, la vie rayonnait autour de villages bâtis sur une mosaïque de terres vivrières. Si l'histoire et les envahisseurs leur étaient communs, chacun avait sa spécialité : la culture des fruits et des légumes, la production de semences, l'oléiculture ou le travail des carrières.

Les familles d'alors habitaient un mas ou une bastide. La bastide est une demeure très structurée, d'essence noble, qui possède, en plus des pièces de vie, des espaces de réception. Dans le mas, construit en longueur, plus bas et plus modeste, la maison du maître et les dépendances nécessaires au labeur quotidien sont reliées.

En ce temps-là, on construisait sa maison, on cultivait son jardin, les pâturages faisaient office de pare-feux, le crottin fumait les terrains et on ne laissait pas traîner les branches mortes. Dans les villages les hommes travaillaient le bois et le fer, les femmes allaient au lavoir où elles enrichissaient l'histoire locale d'une langue aussi vive que leur battoir.

Cette culture connut son apogée au cours du XIXe siècle. Elle régira le pays Baussenc jusqu'au début des années 50. Un demi-siècle suffit pour bouleverser un mode de vie quasiment millénaire. Aujourd'hui, on continue le maraîchage, on récolte des fruits et des céréales, on cultive la vigne mais la production industrielle du colza et du tournesol a pris le pas sur les cultures vivrière.

Et puis le tourisme a fait reprendre vie à l'antique cité et transformé le paysage. Les Alpilles ressemblent désormais à un jardin, exotique pour beaucoup de ses visiteurs venus de tous les continents. Et la couleur locale de ses villages en fait des lieux de vacances à la mode

Le gardien de la tradition, c'est l'olivier qui faillit mourir définitivement du gel en 1956, "l'année où il a fait si froid". L'obstination paysanne le fit repartir et prospérer. Les jeunes arbres au feuillage argenté couvrent à nouveau les ondulations de la plaine et l'huile d'olive du moulin de Maussane a la réputation d'être la meilleure de France. Symbole de la terre de Provence, valeur-patrimoine, l'olivier est, avec le pin, l'arbre du pays des Baux.

Oliveraie de la vallée des Baux.

Ci-dessus, l'Oustau de Baumanière aujourd'hui.
Page de droite : le mas en 1945

Baumanière, une histoire de passion

Raymond Thuilier, le fondateur de Baumanière, naquit dans un milieu modeste. Son père, chauffeur puis mécanicien de locomotives, mourut de trop dur labeur à la quarantaine. Dans un temps où Germinal n'était pas loin, le fils comprit qu'il devrait lutter pour réussir.

Il fut tour à tour ouvrier dans les environs de Londres, représentant en produits alimentaires, courtier en pommes de terre qu'il vendit par wagons entiers avant que les cours ne s'effondrent.

La confiance qu'il avait en lui, elle, ne s'effondra pas. Il se fit engager dans une compagnie d'assurances au moment où la France découvrait l'assurance-vie. Il y fit une belle carrière qu'allait interrompre l'appel conjugué des Alpilles et des fourneaux.

Assureur installé, Raymond Thuilier avait une passion, l'art culinaire. Pendant les week-ends, il aimait préparer de savoureuses recettes à ses amis. Selon son inspiration et les ressources du marché, il concoctait un pâté en croûte au foie gras ou une poularde aux morilles.

Il avait acquis le goût de la cuisine auprès de sa mère, fille, petite-fille et arrière-petite-fille d'aubergistes. Après son veuvage et bien des pérégrinations, Mme Thuilier avait fini par obtenir la concession du buffet de la gare de Privas en Ardèche dont elle fit très vite une des meilleures tables locales.

Lors d'un voyage dans le Midi en 1941, Raymond Thuilier apprit que l'on mettait en vente une demeure du XVIe siècle près du village des Baux. Au flanc d'un vallon, il découvrit un beau mas à l'abandon Sur un coup de cœur, il décida de le relever.

La Cabro d'Or, "l'autre manière" de Baumanière.

A son arrivée, le pays Baussenc vivait au rythme agreste des saisons, de l'éclosion des amandiers à l'élevage des vers à soie, des foins aux moissons... Il côtoya les vendangeurs, les ramasseurs de pommes, les cueilleurs des "olivades". À l'époque, les collines grouillaient de toutes sortes de gens : bergers, ramasseurs d'herbes ou de champignons, braconniers et bûcherons.

Désormais, dans ce pays où le tourisme prend une place croissante, la peur du feu fait interdire la colline aux promeneurs de l'été. Il faut protéger la garrigue, l'aigle de Bonelli et toutes les Alpilles.

C'est en artiste que Thuilier choisit cette terre de peintres, de conteurs et de poètes. La peinture l'attirait en effet presque autant que la cuisine. La lumière et la beauté des lieux le subjuguèrent comme bien d'autres avant lui.

Mistral avec "Mireille", Jean Cocteau avec le "Testament d'Orphée" ajoutèrent ici quelques instants d'art aux marques de l'histoire. Mistral était persuadé que le Val d'Enfer avait inspiré Dante pour ses visions de la "Divine comédie". Wagner voulut créer aux Baux un théâtre de plein air qui deviendrait le décor naturel de sa "Tétralogie".

Van Gogh, lui, s'est enivré du gris des oliviers, des verts des amandiers, des oliviers et des cyprès. Il chercha jusqu'à l'obsession à traduire les tonalités toujours changeantes de ces collines baignées de lumière.

Comme eux, Thuilier aima ces paysages polychromes. Il avait trouvé "sa" terre d'expression. Ses illustres prédécesseurs, et leurs créations marquées au coin du drame, n'intimidèrent pas l'amateur qu'il était. Il peignait comme il cuisinait, pour le plaisir. Il se ferait donc plaisir devant son chevalet et devant ses fourneaux.

Aux Baux, Raymond Thuilier commença par dépenser une énergie de bâtisseur. Le mas était en mauvais état, le lieu isolé, la route peu praticable. Du temps fut nécessaires pour aménager ce qui allait devenir l'Oustau, sa "maison".

Puis avec Miquette Moscoloni, sa fidèle collaboratrice qui sera le sourire de l'Oustau, il choisit les verres, l'argenterie, créa des motifs pour les assiettes et les nappes. Sous leurs yeux, la Provence montrait la voie, elle offrait ses formes et ses couleurs qui devenaient autant de modèles. Pour le Noël de 1945, l'Oustau ouvrait enfin ses portes, nouveau relais de campagne à vocation gastronomique.

À ses fourneaux, Raymond Thuilier transforma la passion de l'amateur en métier. Si les assurances perdaient un cadre de valeur, la cuisine y gagnait un maître de son art.

En amoureux de la nature qui l'entourait, le nouveau chef puisa largement dans les ressources du terroir. Il joua de ses arômes puissants, paria sur la complicité des saveurs de la terre et de la mer, sublima les recettes ancestrales de la Provence.

Ses produits devaient être parfaits. Il cueillait les fruits du verger, les légumes et les herbes du potager, il choisissait avec un soin attentif les viandes et les poissons dans la proche région. Il prenait mille soins pour servir une assiette, afin que l'émotion arrive intacte sur les tables.

Curnonsky, qui a comparé Raymond Thuilier a un "épicurien lettré", et à "un grand prieur de l'Abbaye de Thélème", se réjouissait "que dans cette cuisine les choses aient le goût de ce qu'elles sont".

Le plaisir de l'invention s'ajoutait à la foi du pionnier. La rumeur fit le reste. Quelques mois à peine après son inauguration par Georges Pompidou, alors chargé des affaires du tourisme dans une France qui reprenait goût à la vie, l'Oustau de Baumanière s'imposait comme un but de déplacement, de week-end, un passage quasi obligé pour les touristes gastronomes.

La Guigou, un résumé parfait
de l'art de vivre en Provence.

À l'Oustau, le désir de "belles manières" s'appuyait sur une philosphie exigente : "faire toujours mieux que la veille". Ainsi, la cave se constitua, d'une année à l'autre, à la recherche des meilleurs accords. Les voyages à travers les terroirs l'enrichiront de crûs renommés. Certains millésimes historiques et quasiment légendaires se trouvent à l'abri de l'agitation du monde parmi quelques 100 000 bouteilles.

Chez Raymond Thuilier, l'innovation s'inspirait de la tradition. Il créait à partir de ce qu'avaient enseigné les maîtres en homme qui connaît ses classiques. Il finit d'ailleurs par inventer des classiques. Le gigot des Alpilles en croûte, le caneton à l'orange, la poularde aux morilles ou le gratin de langoustes passèrent à la postérité culinaire.

La cuisine est un art de l'instant et l'apanage d'un lieu. Thuilier rêvait, lui, de l'ouvrir sur le vaste monde. Un second restaurant, plus simple et plus accessible, la Cabro d'Or, fut créé en 1961. Puis le Manoir compléta l'accueil hôtelier de l'Oustau, avec vingt-deux chambres, des courts de tennis, une piscine et un centre d'équitation.

Ce n'était pas assez. Une gamme de produits Baumanière, vendus par correspondance, fut lancée afin que les produits servis au restaurant et ceux utilisés à table ou en cuisine soient disponibles ailleurs. Puis vinrent les boutiques qui amenaient l'Oustau au-delà des frontières.

La durée était l'autre préoccupation. Raymond Thuilier était attentif à la devise des Princes d'Orange, qui avaient régenté les Baux bien avant lui : "Je maintiendrai, Noblesse oblige". Il savait qu'il devrait transmettre son savoir, passer le flambeau.

Dès que Jean-André Charial, son petit-fils, fut sorti d'H.E.C., en 1967, il lui demanda de venir le rejoindre. La connivence entre les deux hommes remontait à loin. Jean-André Charial était né l'année où se créait l'Oustau, il avait grandi en même temps que s'écrivait son histoire. Même si les études qu'il avait suivies le destinaient plutôt à une autre carrière, Raymond Thuilier, qui lui-même avait fait autre chose dans une autre vie, sut le convaincre.

Le jardin aux herbes de Baumanière
concentre les senteurs de la Provence

Geneviève et Jean-André Charial.

L'esprit Baumanière aujourd'hui

i Raymond Thuilier fut convaincant, l'attrait de la Provence des Baux sur le petit-fils compta beaucoup. La perspective de piloter à son tour le vaisseau, de créer selon son plaisir et pour celui des autres, ne fut pas, non plus, étrangère à l'affaire. Quelque peu fasciné par le "maître", Jean-André Charial décida de s'investir dans l'Oustau.

Il s'y découvrit une vocation dont il fallut faire un métier. La base classique, celle des aînés, lui fut transmise par les princes de la gastronomie, Alain Chapel, les frères Troisgros, Haeberlin, Bocuse. Il conforta son goût de liberté sous l'influence de Freddy Girardet dont il admira la spontanéité. Cet apprentissage le conduira de Paris à New York et à Londres où il créa un restaurant à Victoria.

De retour à Baumanière, l'élève fut en mesure d'assumer la responsabilité des achats, du choix des produits, du contrôle des fournisseurs et du management général en "osmose"" avec Raymond Thuilier. Leur complémentarité leur permit de travailler ensemble aux cuisines, d'expérimenter de nouvelles recettes qui renouvelaient la carte de la maison. Entré en cuisine en 1970, le diplomé de grande école en prit la totale responsabilité au début des années 80.

Raymond Thuilier s'éteignit en juin 1993 dans la sérénité et dans l'humour. Egal à lui-même et heureux de son destin, il avait écrit ; "Je voudrais, au terme d'un très long chemin, achever ma vie au pied de mon fourneau, mais étant donné le respect et l'amitié que j'ai pour mes clients et l'estime que je témoigne à mes collaborateurs, je souhaite, pour ne pas troubler le service, que ce soit à la fin de celui-ci".

Ci-dessus :
la "cave-cathédrale" de Château Romanin.
Ci-contre :
le vignoble adossé aux Alpilles.

Jean-André Charial se retrouvait seul aux commandes avec, plus qu'un héritage, un pacte de continuité à faire vivre au quotidien. L'équipe complice qu'il avait formé avec son grand-père durant de longues années augurait bien de la pérennité de l'œuvre.

Aujourd'hui, la carte conserve, intact, l'accent du terroir, celui du pays des Baux. Le gibier vient de la garrigue qui offre aussi le thym, le laurier, le romarin, le fenouil et la sariette. Les légumes, le basilic, fraîchement cueillis chaque matin, poussent dans le potager sur lequel veillent les jardiniers de l'Oustau, garants comme toute l'équipe, de "l'esprit Baumanière".

Les règles fondamentales restent en vigueur, et d'abord la fidélité au juste goût des produits. Le chef s'applique à réussir dans la simplicité. Il sait qu'il suffit souvent d'ajouter une pointe de raffinement, et parfois d'audace, pour aboutir à des merveilles gustatives.

Il se préoccupe, en outre, de pédagogie. Ce qui l'amène à s'intéresser à l'éducation des plus jeunes, à donner des cours de cuisine et des leçons de dégustation afin d'assurer la survie de notre culture culinaire.

Comme son grand-père, Jean-André Charial a un autre jardin, pas vraiment secret, où s'exerce sa créativité. Un grand jardin puisqu'il s'agit d'un vignoble de quelque cinquante hectares, Château Romanin, qui s'adosse au flanc nord des Alpilles, à proximité de Saint-Rémy-de-Provence.

Avec l'aide et la complicité de clients fidèles devenus des amis – Colette et Jean-Pierre Peyraud –, avec le concours de Jacques Puisais, humaniste et gentilhomme du goût autant que magicien de l'œnologie. Et de Serge Henneman qui a "calculé" la cave – creusée dans le roc construite autour d'un puit de lumière – en fonction des forces telluriques du lieu et à partir du savoir transmis par les bâtisseurs de cathédrales. Il s'applique à produire un vin "vrai", élégant, bien construit en alliant les cépages comme il marie les saveurs en cuisine et comme Thuilier travaillait la couleur sur ses toiles. Là encore, la terre, le vent et le soleil de Provence, constituent la matière première de ce défi inscrit dans la durée. Car, dit Charial : "Il faut vingt ans pour faire un grand vin."

33

Paroles de cuisinier

Au moment, important pour moi, de célébrer les cinquante ans de Baumanière, j'ai pleinement conscience d'être l'héritier d'un passé bien vivant qui a pour nom Raymond Thuilier. Nos personnalités, nos aspirations différaient. Nous avions cependant bien des points communs. Chacun inventant ses prétextes, nous avons suivi le même chemin, affirmé nos passions dans la rigueur et la persévérance, pour notre plaisir et celui de nos hôtes.

Je continue à donner corps à un rêve assez fort pour être devenu réalité. J'espère m'en montrer digne. Et que d'autres viendront pour m'aider et prendre ma suite. Déjà, je ne suis pas seul. Aux belles heures de la matinée, Geneviève prépare des bouquets. Elle illumine Baumanière de son sourire. Et, peut-être un jour, Lucie et Marie-Noëllie, mes filles, nous y rejoindrons.

L'Oustau de Baumanière a conduit jusqu'aux Baux des femmes et des hommes de tous les horizons. Parfois, ils étaient illustres et, le plus souvent, anonymes. Tous nous ont honoré de leur présence. Et je les en remercie tous.

Petite leçon de goût

Notre goût est l'un de nos sens les plus intimes. D'où l'importance de le cultiver.

Il y a quatre goûts : le salé, le sucré, l'acide et l'amer.

Pour analyser le goût "acide", par exemple, on met une goutte d'acide dans un verre d'eau. Puis une autre, une autre, et ainsi de suite, jusqu'à ce que l'eau prenne, pour nous, le goût acide. Nous avons alors déterminé le seuil qui définit notre sensibilité au goût acide. Pour certains une goutte suffit, alors que d'autres peuvent, sans sourciller, sucer un citron entier.

Il suffit de faire la même expérience avec les trois autres goûts pour déterminer notre profil gustatif.

Jean-André Charial en cuisine.

Sensations et impressions

Notre corps réagit à la moindre sollicitation. A la chaleur ou au froid, par exemple. Nous n'avons pas envie de manger de la même façon à la montagne en hiver et au bord de la mer en été, c'est évident. Mais, il réagit aussi à tant d'autres éléments. A tant de sensations, même furtives, de bonheurs ou de drames. Ce corps est sensible à tant de choses ! Il nous crée ses ulcères à l'estomac, ses migraines, ses crises de foie ou, au contraire, il nous offre l'impression de bien-être des jours heureux. Ecoutons-le quand il nous parle.

Comment expliquer les chocs émotionnels que nous ressentons parfois au cours d'un repas, au détour d'une saveur liée à notre lointaine mémoire, à quelques morceaux de fruits dans une confiture, au moelleux de la sauce d'un civet ? J'en ai connu de très forts avec Geneviève, mais ressentions-nous exactement les mêmes ? Quelles saveurs répondaient-elles à ses émotions de petite fille élevée en Afrique du Nord, lesquelles résonnaient-elles dans mon enfance parisienne ? La cuisine tourne autour de tout un passé à la fois biologique et culturel, de notre mémoire, de la tradition, de nos terroirs, de nos racines et de nos ancrages. Aussi, de ce que nos mères nous ont "donné" à manger après qu'elles nous aient donné le sein. Et, tout cela, amalgamé, transformé, reste bien mystérieux.

Jean-André Charial et l'équipe des sommeliers sacrifient à la séance de dégustation hebdomadaire afin d'enrichir la cave de l'Oustau.

C'est pourquoi j'essaie d'être attentif aux réactions des enfants par rapport à ce qu'ils mangent. C'est important de leur faire toucher de la farine qui glisse entre les doigts ou de la pâte un peu collante, de leur donner une sauce à goûter, une confiture à écumer.

Contrairement à d'autres civilisations, celles du Japon ou des pays arabes par exemple, nous avons une tradition du ferment, de ce qui, tels le pain, le vin, le fromage, prend son temps pour évoluer et pour s'élaborer. Aujourd'hui, tout va trop vite. Nous ne parvenons plus à le prendre, ce temps, pour suivre les rythmes nécessaires à toute évolution. C'est grave. Pour nous, pour ce que nous entreprenons et plus encore pour nos enfants.

L'enfance d'un chef de cuisine

Je me souviens du jour où, enfant, mon grand-père m'a fait toucher du papier Japon. A côté, il y avait une feuille de Velin. Il me demanda de comparer les deux impressions, de commenter le souvenir laissé sur mes doigts.

J'aime tester les aliments de cette façon, avant de les cuire. Le lissé ferme d'une aubergine ou d'une tomate fraîchement cueillies annonce déjà leur goût, ouvre la cérémonie de la cuisson.

De même, je conçois "les mises en bouche", à prendre avec les doigts, comme prélude au repas.

Petit, toujours, j'ai appris à reconnaître, à analyser le goût de ce que je mettais dans ma bouche. A ne pas les engloutir "tout rond" une pêche ou une fricassée de chanterelles. A m'habiter à aisir la première trace de leur parfum contre mon palais, puis, la deuxième. Et à éprouver la texture de leur pulpe avant d'avaler la bouchée.

J'ai fais les mêmes expériences avec l'odeur d'une rose, d'une branchette de romarin ou d'un bouquet de lavande. Elles m'ont permis, plus tard, d'évaluer la qualité d'un vin en respirant son premier nez, puis son second, et ainsi de suite, jusqu'à la trace qu'il laisse dans le verre vide.

Le toucher, le goût et l'odorat déjà plus ou moins exercés quand je suis entré en cuisine, j'ai appris à développer les deux autres sens. C'est à la vue que l'on reconnait le croustillant d'une pâte ou le "saisi" d'une viande. Et à l'ouïe – bien sûr – les bouillonnements, les fritures, le crépitement de l'huile ou du beurre dans la poêle, le chuintement de l'eau qui commence à chauffer et le grésillement des œufs aux plats, dont le blanc doit être cuit sans être frit et le jaune chaud sans être cuit.

Une fois enregistré le toucher des choses, leur vue, leur goût, leur odeur et leurs "sons", on ne les oublie plus. Et l'on prend conscience, qu'il n'y a rien de pire que de ne pas être à l'écoute de ses sens. Alors, on ose commenter les impressions qu'ils nous procurent, on essaie de les partager.

Ainsi, je ne suis pas prêt d'oublier l'odeur des croissants Baumanière à Kyoto. Elle provoquait une queue impressionnante d'inconditionnels qui devaient être rationnés pour pouvoir être tous servis.

L'art de la table

L'apprentissage d'un repas partagé se fait lui aussi dès l'enfance. Que ce repas n'ait lieu qu'une fois par jour et ne dure qu'une demi-heure ou qu'il accompagne une fête, c'est un moment privilégié, une sorte de cérémonie, une mise en scène avec son ordonnance et ses rites, pauvres ou riches.

Il y a une manière de mettre la table, de faire en sorte qu'elle soit agréable, il y a une manière de se tenir à table, par respect pour l'autre et pour nous-même, il y a une manière de prendre son couteau et sa fourchette, de ne pas avaler la nourriture le coude rivé sur la nappe et la casquette vissée sur la tête, comme je vois certains enfants en prendre l'habitude.

Je sais que ce sont des considérations culturelles, que dans certaines civilisations, il est de bon ton de faire, par exemple, du bruit en mangeant. Nos valeurs et nos traditions sont autres. Et si nous en sommes arrivés là, ce n'est pas tout à fait par hasard.

L'éducation des sens

Mon grand-père se plaisait à répéter, qu'à table "l'animal n'est pas loin". Les gens se découvrent, reflétés par ce miroir. Un côté primitif, plus ou moins poli par l'éducation, ressort. Quelle éducation polira le côté "brut de fût" de nos enfants qui se précipitent devant la télévision, à l'heure du dîner, une bouteille de lait et des céréales à portée de main ? Avec les implications économiques qui en résultent : disparition des boulangers de village et du travail alimentaire artisanal bien fait.

Je donne, à Baumanière, des cours de cuisine à des enfants. Et je découvre avec étonnement qu'ils n'ont plus de notions de notre civilisation culinaire. Le jeune fils de l'un de mes clients passe parfois des heures en cuisine. A ma

Le chariot des desserts, toutes les variations autour de la sensation "sucrée".

question : *"pourquoi mange-t-on du poisson le vendredi ?", sa réponse : "parce qu'il y en a sur les marchés", reste encore la meilleure. Je trouverai toujours dommage, quant à moi, même si je suis protestant, de perdre ces valeurs qui sont à la base de la religion catholique.*

Goûts d'ailleurs et goûts d'ici

La cuisine se mondialise, influencée, transformée, diversifiée par des goûts venus d'ailleurs. Il me plait de m'ouvrir, moi aussi, aux saveurs dépaysantes des voyages et de les laisser pénétrer ma propre cuisine. Pas dans leur exotisme superficiel, mais dans ce qui les fonde et les enracine.

Nous restons cependant l'un des plus grand pays du monde en matière culinaire. Nous avons donc, nous aussi, à influencer les autres.

A ce titre, je considère que les grands noms de la cuisine française ont à jouer un rôle d'ambassadeur auprès de nos hôtes étrangers comme à l'extérieur de notre pays. C'est pourquoi, malgré les saveurs et les alliances extérieures qui viennent l'enrichir, la carte de notre maison reste fidèle à son terroir, les Alpilles, la Provence. A mon avis, cette fidélité nous offre les meilleures chances d'étendre notre rayonnement dans le monde. Et il m'arrive de rêver que nos rougets au basilic partent sous vide au-delà des mers.

L'habit fait partie de la fête

Je me pose aussi des questions sur l'habillement. C'est agréable, une belle salle. Au théâtre, à l'opéra ou au restaurant. C'est un plaisir de s'habiller, de se "faire beau", comme on disait jadis, "pour sortir" de ses habitudes, de ses soucis et sans doute, un peu, de soi. Vis-à vis de nous-même, de ceux qui

39

La terrasse de Baumière.

nous accompagnent ; et aussi de ceux qui, comédiens, chanteurs ou cuisiniers, ont travaillé à mettre en scène des moments qu'ils espèrent réussis. S'habiller, pour moi, c'est aussi une façon de participer au spectacle. D'en être, un peu, l'acteur. Je ne prétends pas donner de leçons, je ne détiens pas la vérité. Mais je regrette la disparition progressive de ce souci de "se mettre en fête". Comme si les gens, aujourd'hui, avaient peur de se faire remarquer et ne souhaitaient qu'une chose : se fondre dans l'anonymat.

De l'influence du hasard sur le gigot d'agneau en croûte

Comme le théâtre, la cuisine est un art de l'éphémère qui dépend en partie du hasard. Il y a les bonnes et les mauvaises salles. Des jours exceptionnels, et d'autres moins bons, pour des raisons que je n'arrive pas à comprendre. Est-ce à cause des produits qui ne sont pas les mêmes, du poisson pêché autrement que la veille, de la chair différente d'une viande, d'un cuisinier (ou moi-même) qui n'aura pas la même attention, la même tension ? C'est tellement difficile de faire une bonne cuisine pour cent couverts quand, chacun à table, attend l'exceptionnel !

Et puis, il y a l'impondérable, la rencontre impossible. Comment comparer la soirée que va passer un couple d'amoureux à celle d'un autre couple qui s'est trompé d'itinéraire, et qui est arrivé en retard après une journée de route en plein soleil ? Les aliments n'auront pas le même goût, le lieu pas la même magie.

Défense de l'art de vivre

Après le repas, j'aime venir discuter avec les gens qui ont dîné à l'Oustau. Je ne réclame pas le sempiternel "tout est parfait". Je souhaite de vraies réactions aux saveurs des plats, à leurs variantes et à leurs textures. Mais quand on entend certains confondre le fenouil et le céleri, on se demande parfois pour qui on fait la cuisine !

A Baumanière, je m'efforce de défendre une certaine idée de notre culture, et, sans doute, une vision de l'art de vivre.

Jean-André Charial

41

"Mas de Baumo-Niero", l'inscription gravée dans la pierre,
entre une vache et un mouton, évoque le passée pastoral de l'Oustau.

$\mathcal{J}$e n'aime pas faire la cuisine de façon anonyme pour "la table 14" ou "la table 21". Lorsque je prépare un plat, j'aime savoir pour qui. Mon plaisir est différent. Disons que j'essaie de faire du "sur-mesure".

Aussi, pour marquer le cinquantenaire de l'Oustau, je me suis amusé à dédier chacune de ces cinquante recettes, pour la plupart nouvelles, à l'un des amis de Baumanière. A marier un goût, une épice ou le nom d'un plat avec un trait de son caractère, un aspect de sa personnalité ou de son talent. En hommage à sa venue et, à travers lui, à celle de tous ceux qui ont honoré notre maison de leur présence.

Pour vous, lecteur, que je ne connais pas, il m'a été agréable de vous inviter à connaître un peu Baumanière, son histoire et sa magie. Et, maintenant, à travers ces cinquante recettes, sa table. Mais, n'oubliez jamais qu'une recette n'est qu'un cadre. Pour qu'elle soit vraiment vôtre, sachez l'adapter à vos goûts et à ceux de vos convives.

J.-A. C.

Abaisse :
Pâte étendue au rouleau, destinée à garnir un moule ou à être découpée à l'emporte-pièce.

Beurre manié :
Beurre mélangé à de la farine, dont on se sert en général pour lier une sauce.

Blanchir :
Passer à l'eau bouillante certains aliments afin de les nettoyer ou d'effectuer une précuisson.

Braiser :
Cuire des aliments à feu généralement doux dans un ustensile couvert.

Brunoise :
Légumes taillés en tout petits dés.

Canneler :
Pratiquer des rainures décoratives dans un fruit ou un légume à l'aide d'un couteau "canneleur".

Chinois :
Passoire de forme conique. Il existe un modèle dit "chinois étamine" possédant plusieurs épaisseurs d'une grille très fine qui retient les plus petites particules pour ne laisser passer que le jus.

Cul de poule :
Bol utilisé pour mélanger les crèmes, battre les œufs, etc.

Déglacer :
Dissoudre le jus caramélisé en cours de cuisson (les sucs) qui attache au fond d'une poêle, en mouillant avec un liquide (jus, vin, vinaigre…) afin d'obtenir une sauce.

Escaloper :
Couper en tranches minces.

Julienne :
Légumes coupés en très fins bâtonnets d'1 à 2 millimètres d'épaisseur.

Mirepoix :
Légumes coupés en petits dés.

Monder la tomate :
Commencer par tailler un cône autour de la queue, avec un petit couteau bien pointu, afin de retirer la partie la plus dure de la chair. Pour peler la tomate, tailler une petite croix à la base du fruit puis le plonger 12 secondes dans une casserole d'eau en ébullition ; la peau se retire toute seule.
Couper la tomate en deux et, à l'aide d'un couteau, retirer les pépins pour ne conserver que la chair.

Monter une sauce (au beurre) :
Consiste à fouetter la sauce tout en faisant tomber dedans de petits morceaux de beurre préalablement malaxés pour qu'ils soient bien mous.

Napper :
Répandre, sur une préparation, une sauce d'une consistance suffisante pour s'y fixer.

Parures :
Déchets que l'on peut utiliser (par exemple pour la préparation de sauces).

Pocher :
Cuire dans un liquide frémissant.

Réduire :
Faire évaporer un fond, un jus, une sauce, un bouillon, pour en diminuer la quantité et concentrer les arômes.

Réserver :
Mettre en attente une préparation avant de l'utiliser pour continuer la confection du plat.

Suer :
Faire rendre leur humidité et leurs sucs à des légumes, une viande ou des os, dans un récipient fermé, avec un peu de graisse et sous l'action d'une chaleur pas trop vive.

47

Suprêmes :
Aile et filet. Dans certaines recettes, on appelle suprêmes simplement les blancs.

Tourner :
Donner une forme oblongue à un légume entier ou à des morceaux de légumes pour obtenir des "petits légumes".

Travailler :
Malaxer ou triturer.

Fumet de poissons

Ingrédients pour 1 litre de fumet :

1,5 kg d'arêtes et têtes de poissons
(éviter les poissons gras : saumon,
rouget, etc.)

1 échalote
1 gros oignon
1 branche de céleri
6 queues de persil
2 cuillerées à soupe d'huile d'olive

*Commencer par faire dégorger les arêtes en les mettant dans une cuvette
et en laissant l'eau froide couler pour bien les laver, sinon le goût qu'elles
donneraient au fumet serait trop fort.*

*Hacher l'échalote, peler et émincer l'oignon, laver et émincer la branche
de céleri.*

*Mettre les arêtes, l'oignon, l'échalote et le céleri dans une sauteuse avec
l'huile d'olive et faire revenir doucement 5 minutes pour leur faire rendre
leurs sucs.*

*Ajouter 1,5 litre d'eau froide et cuire à petits bouillons 20 minutes en
écumant régulièrement pour enlever les impuretés.*

Passer au chinois et conserver au froid.

Fond blanc de volaille

Ingrédients pour 1 l de fond :

1 kg de carcasses concassées et abattis
100 g de carottes
100 g de champignons
1 oignon
1 branche de céleri
1 poireau
1 gousse d'ail
1 branche de thym
1 feuille de laurier
3 branches de persil
25 cl de vin blanc sec

*Commencer par nettoyer les champignons, peler les carottes et l'oignon,
laver la branche de céleri et le poireau ; couper le tout en petits morceaux.
Écraser la gousse d'ail.*

*Mettre les morceaux de carcasse concassées et les abattis dans un faitout
avec tous les légumes et aromates. Arroser avec 25 centilitres de vin blanc et
2 litres d'eau froide.*

*Chauffer jusqu'à ébullition et laisser cuire à petits bouillons pendant
3 heures en écumant souvent.*

Passer au chinois et mettre au froid.

Fond brun de veau

Ingrédients pour 1 l de fond :

1 kg d'os de veau concassés
100 g de carottes
100 g de champignons
1 oignon
1 branche de céleri
1 cuillerée à soupe de concentré
de tomate
1 gousse d'ail
1 branche de thym
1 feuille de laurier
3 branches de persil
25 cl de vin blanc sec

Commencer par nettoyer les champignons, peler les carottes et l'oignon, laver la branche de céleri et couper le tout en petits morceaux. Ecraser la gousse d'ail.

Mettre les os de veau concassés au four dans un plat à rôtir et faire dorer 15 minutes en retournant de temps à autre.

Ajouter les légumes coupés en morceaux et laisser encore 5 minutes au four. Retirer du four, verser le tout dans le faitout et arroser avec le vin blanc. Porter à ébullition puis ajouter 2 litres d'eau froide, le laurier, le thym, la tomate concentrée et les branches de persil.

Cuire 3 heures à petits bouillons ; écumer régulièrement la mousse qui se forme à la surface et dégraisser de temps à autre en passant une louche sur le bord du récipient, à ras du liquide.

Passer au chinois et mettre au réfrigérateur dans un récipient haut et étroit de préférence. Les graisses qui vont se solidifier à la surface seront ainsi plus faciles à enlever.

Si l'on poursuit la réduction du fond de veau, on obtient une sorte de gélatine : la glace de viande. Elle représente environ 1/10ᵉ du volume de départ.

Fond de canard

Ingrédients pour 1/3 litre de fond :

Les abattis : pattes, extrémités
des ailes, cous, etc.

1 gousse d'ail
1 poireau
1 branche de céleri
2 carottes
1/2 l de vin blanc
20 g de beurre

Peler l'ail et les carottes. Laver le céleri et le poireau. Couper le tout en petits dés.

Faire revenir les légumes avec les abattis dans 20 grammes de beurre pendant 5 minutes, le temps de les colorer. Ajouter 1/2 litre de vin blanc et 1/2 litre d'eau. Laisser cuire à petits bouillons une demi-heure.

Passer au chinois.

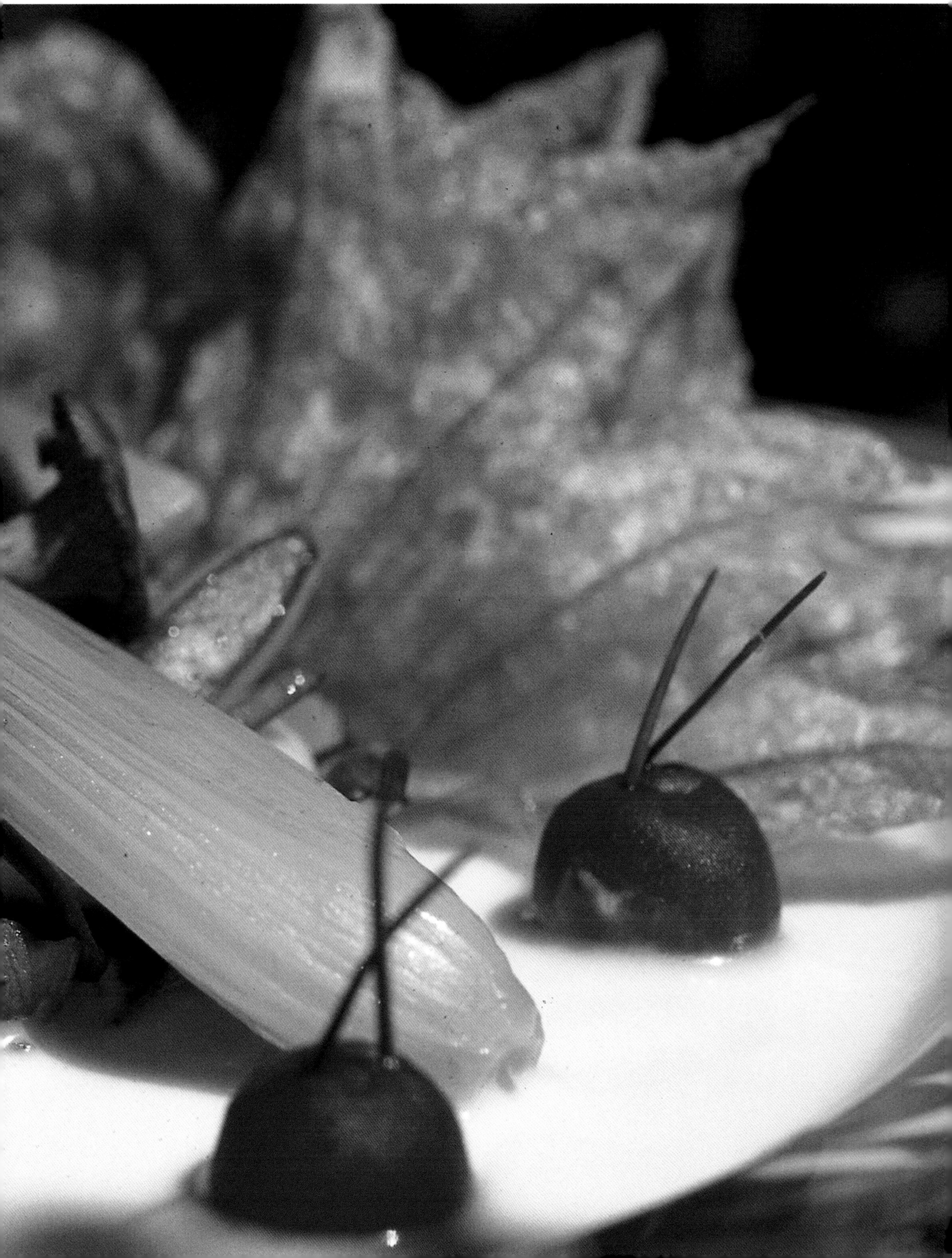

Presse d'agneau à l'échalote confite

Ingrédients pour 6 personnes :

1 gigot d'agneau de 1,2 kg
1 épaule d'agneau de 1,2 kg
2 l d'huile d'olive de Maussane
3 tomates
2 carottes
1 bouquet garni
Thym
1 tête d'ail
300 g d'échalotes

-1- *Faire chauffer l'huile d'olive avec la garniture aromatique : carottes, tomates, bouquet garni et thym. Après un léger frémissement, plonger l'épaule et le gigot d'agneau environ une heure et demie et garder toujours le même frémissement.*

Sortir du feu et laisser refroidir, mettre 48 heures au réfrigérateur.

-2- *Plonger 30 minutes environ les échalotes dans l'huile d'olive à frémissement et les égoutter.*

Pour monter la terrine : effilocher l'agneau délicatement, l'assaisonner et le dresser dans une petite terrine en l'intercalant avec l'échalote. Vous pouvez également remplacer l'échalote par de la tomate confite.

Les carottes, les tomates et l'ail ne servent qu'à aromatiser l'huile d'olive et ne sont pas mis dans la terrine.

On mélange le gigot et l'épaule car les textures des viandes sont différentes : l'épaule a plutôt tendance à s'effilocher et le gigot à rester en morceaux plus compacts, ce qui apporte une structure intéressante.

Démouler et servir glacé.

-1- *Cuisson de l'agneau (il est préférable de la prévoir deux jours à l'avance).*
-2- *Préparation de la terrine.*

Philippe Noiret
Un amoureux de Baumanière qui donna notre nom à son cheval. Il aime les rythmes naturels, les campagnes du sud – il habite maintenant Carcassone –, le cigare et notre champagne… Je trouve à cette presse à l'échalote confite un côté rude, rustique mais tout en finesse, qui lui convient.

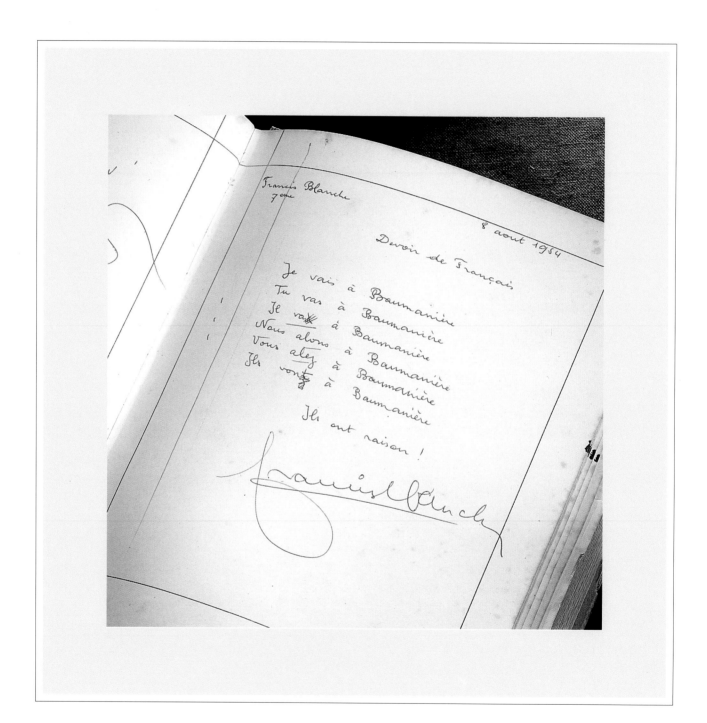

Velouté d'asperges aux huîtres

Ingrédients pour 4 personnes :

1 douzaine d'huîtres

1 botte d'asperges vertes
(environ 1 cm de diamètre)

3/4 l de crème fraîche

1/4 l de fumet de poissons

Éplucher les asperges, couper les pointes et les faire cuire à l'eau bouillante salée, les rafraîchir à l'eau glacée, couper les queues en petits tronçons, les faire revenir avec du beurre dans une casserole haute. Rajouter le fumet de poisson, la crème et faire réduire à nouveau. Passer au mixeur pour bien développer les arômes. Passer ensuite au chinois.

Ouvrir les huîtres, les faire tiédir légèrement.

Les déposer au fond de l'assiette préalablement chauffée, ajouter le jus d'huîtres dans le potage, faire réduire s'il n'a pas la consistance voulue et verser sur les huîtres.

Ajouter les pointes d'asperges préalablement réchauffées au beurre.

Francis Blanche

Madeleine Ferragut, qui avait un magasin d'antiquité au Paradou, meublait beaucoup de maisons de la région. Ainsi se créa une sorte de complémentarité entre ses meubles et l'Oustau, ses amis et les nôtres. Sa complicité gourmande avec Francis Blanche – à qui je dédie ce plat sans sucre car il souffrait de diabète – renforça encore le lien très fort qu'il ressentait pour notre lieu.

Millefeuille d'aubergines à la cardamome

Ingrédients pour 6 personnes :

2 kg d'aubergines
10 g de cardamome
1/2 l d'huile d'olive
50 g de farine
3 poivrons rouges
1/4 l de crème fraîche
1 citron

Préparer un caviar d'aubergines : après avoir coupé leur extrémité, envelopper les aubergines dans du papier aluminium et les faire cuire au four chaud environ une demi-heure. Ensuite, les couper en deux et avec une cuillère racler la chair qui doit se détacher facilement. Sinon, cela signifie qu'elles ne sont pas assez cuites.

Finir cette purée avec de l'huile d'olive et ajouter un peu de cardamome. Mettre de côté.

Couper des rondelles d'aubergines très fines, les fariner et les faire cuire dans l'huile d'olive de façon à ce qu'elles soient très craquantes.

Couper les poivrons rouges en petits morceaux. Les faire sauter à l'huile d'olive dans une casserole. Dès que la couleur devient orangée, ajouter la crème et laisser cuire. Passer au chinois.

Mettre sur chaque assiette trois petits tas de caviar d'aubergines, puis sur le dessus, les rondelles d'aubergines frites, et ainsi de suite, caviar, rondelles, caviar, etc. Napper le tour de l'assiette de crème de poivrons.

Paul MacCartney
Sa femme, végétarienne, a écrit un livre de recettes de légumes. Ils sont venus à Baumanière, en avion privé, pour fêter un anniversaire.
Je leur ai servi un menu composé d'une soupe, de raviolis et de ce plat inventé pour eux. Parfumé d'exotisme par la cardamome, une épice des Indes,
pays qui m'a fortement marqué, avec une cuisine multiple, aux senteurs indéfinissables, aux goûts dérangeants, forts et subtils à la fois.

"Le plaisir de la table est de tous les âges, de toutes les conditions, de tous les pays et de tous les jours ; il peut s'associer à tous les autres plaisirs, et reste le dernier pour nous consoler de leur perte."

Brillat-Savarin

Salade de coquilles Saint-Jacques aux truffes

Ingrédients pour 4 personnes :

12 pièces de coquilles Saint-Jacques
1 kg de bulbes de fenouil
100 g de truffes fraîches
1/8 l de fumet de poissons
1 échalote
1 dl de vinaigre de Xérès
Huile d'olive
20 g de badiane
5 g de graines d'anis
Sel et poivre

Couper le fenouil en petits morceaux, si possible en biseaux. Faire sauter les morceaux à cru avec la badiane et l'anis. Mouiller avec le fumet de poissons. Laisser cuire environ 20 minutes. Égoutter les fenouils et garder le jus de cuisson de côté.

Couper les truffes en lamelles très fines.

Ouvrir les coquilles Saint-Jacques, enlever le muscle et bien les laver à l'eau courante. Laisser sécher sur du papier absorbant. Les escaloper très finement, puis les faire mariner dans l'huile d'olive environ une demi-heure.

Préparation de la vinaigrette : faire réduire le jus de cuisson du fenouil afin d'obtenir trois cuillérées à soupe de liquide. Ajouter le vinaigre et monter à l'huile d'olive dans un mixer.

Dressage sur assiette : mettre le fenouil tiède au centre de l'assiette et, tout autour, les coquilles Saint-Jacques intercalées avec les rondelles de truffes, puis la vinaigrette.

59

Jacques Brel
Agrémentée de fenouil, de badiane et d'un soupçon de safran, c'est l'une de nos rares salades qui ne soit pas composée d'éléments cuits, mais de fruits de mer qui évoquent un peu le poisson cru tel qu'on le mange aux Marquises où habitait Jacques Brel.

Tarte aux endives et beurre d'orange

Ingrédients pour 4 personnes :

1 kg d'endives
150 g de beurre
Sel, poivre
4 oranges
20 g de badiane
200 g de feuilletage

Effeuiller les endives, les laver, les faire suer au beurre à l'étouffé ; en fin de cuisson les faire légèrement caraméliser.

Les retirer du feu et déglacer légèrement au jus d'orange. Faire réduire avec un peu de badiane et mettre une noisette de beurre. Passer au chinois et réserver au chaud.

Placer les endives dans des moules individuels, chaque feuille d'endive recouvrant en partie la précédente afin de tapisser les moules.

Mettre des endives au milieu du moule et rabattre la partie des feuilles qui dépasse du moule, vers le centre.

Recouvrir d'un fond de pâte feuilletée déjà précuit. Cuire au four.

Démouler sur une assiette et verser le beurre d'orange autour.

Deng Xiao Ping
Venu en visite officielle en 1973, juste après la Reine d'Angleterre, la simplicité de sa suite était, par rapport à celle de la Reine, d'un contraste saisissant. Il ne mangea que des légumes. Cette tarte contient de la badiane, une épice chinoise que j'ai adaptée à la personnalité de ma cuisine.

Flan de foie gras et sa crème de lentilles

Ingrédients pour 4 personnes :

150 g de lentilles
25 cl de crème fraîche
25 cl de lait
125 g de foie gras de canard en boîte
3 œufs
Sel, poivre

*L*aver les lentilles puis les cuire dans une grande casserole avec beaucoup d'eau. Égoutter, en garder une partie, passer le reste à la moulinette au-dessus d'une casserole et rajouter la crème fraîche. Cuire à feu moyen jusqu'à l'obtention d'une crème onctueuse. Saler et poivrer.

Dans le même temps, porter le lait à ébullition. Passer au mixeur le foie gras et les oeufs entiers. Saler et poivrer. Ajouter le lait dans le mixeur dès qu'il a bouilli et battre encore 30 secondes.

Verser le mélange dans des petits ramequins et mettre au bain-marie en couvrant d'une feuille d'aluminium au four à 250°. Le temps de cuisson est d'environ 15 minutes.

Le flan est cuit lorsqu'il n'est plus liquide, mais tremble comme de la gelée lorsqu'on agite le ramequin.

Retirer alors les flans du four. Les démouler, les disposer au centre des assiettes et napper de crème de lentilles dans laquelle vous aurez ajouté les lentilles mises de côté.

Cher ami,
Je suis content que j'ai venu,
Je reviendra...

Renaud (chanteur impertinent)

Renaud
Il a, comme Jean-Louis Trintignant et d'autres habitués de l'Oustau, une maison dans la région. Je me suis amusé à lui dédier ce "plat de lentilles", simple et populaire, mais sophistiqué par le foie gras.

Le soleil faisait le grand écart au-desus des Alpilles. Jean-André, le maître des lieux, qui ressemble davantage à un officier de marine qu'à un chef de cuisine, est venu nous serrer la louche et nous a annoncé qu'il venait de mettre au point une nouvelle recette de Saint-Jacques ; étions-nous O.K. pour servir de cobayes ? Tu connais mon héroïsme ? J'ai dit banco avec des papilles gustatives déjà en érection

San Antonio
"Les eunuques ne sont jamais chauves"
Fleuve noir (1995)

Escalope de foie de canard chaud aux noisettes

Ingrédients pour 2 personnes :

200 g de foie gras
1 bouteille de vin rouge
150 g d'échalotes
1/8 l de fond de veau
3 carottes
50 g de noisettes torréfiées
Sel, poivre
Fond blanc de volaille
Huile de noisette

Commencer par préparer une sauce bordelaise : mettre dans une grande casserole une bouteille de vin rouge des Côtes du Rhône et les échalotes crues. Laisser réduire de façon à obtenir 1/4 de litre de liquide. Passer au chinois et incorporer le fond de veau.

Couper le foie gras en tranches d'1 centimètre d'épaisseur.

Poêler quelques secondes les tranches de foie gras dans une poêle très chaude. Les retirer sur un papier absorbant, dégraisser la poêle et la déglacer avec le fond blanc.

Ajouter 2 cuillerées de sauce bordelaise et 1 cuillerée d'huile de noisettes. Rectifier l'assaisonnement et passer au chinois fin.

Mettre un peu de noisettes hachées sur les escalopes de foie.

Préparer une purée de carottes à la manière d'une purée de pommes de terre, et y incorporer un peu d'huile de noisette.

Dressage sur assiette : 3 quenelles de purée de carottes, le foie gras poêlé et nappage de sauce.

Frédéric Dard
Un amateur de Château Yquem… et de Baumanière, qui le lui rend bien. J'ai imaginé ce foie de canard tiède en accompagnement de son vin préféré. Et j'ai rajouté le parfum subtil des noisettes parfaitement torréfiées.

Salade de haricots verts et beignets de morue

Ingrédients pour 4 personnes :

400 g de haricots verts fins
800 g de morue
3 cuillerées à soupe de brandade
de morue
33 cl de bière
150 g de farine
25 g de levure
Huile d'olive
Vinaigre de Xérès
Moutarde
Huile d'arachide
1 citron

Commencer par effiler les haricots verts. Les faire cuire 5 minutes dans une eau très salée, à découvert. Égoutter et les rafraîchir dans de l'eau avec des glaçons. Égoutter de nouveau.

Préparer la vinaigrette avec 1 cuillerée à soupe de moutarde, 1 cuillerée à soupe de vinaigre de Xérès, sel, poivre et 3 cuillerées à soupe d'huile d'olive.

Préparer les filets de morue : les aplatir de façon à ce qu'ils fassent 5 millimètres d'épaisseur. Les assaisonner avec de l'huile d'olive et du citron.

Mettre à l'intérieur un peu de brandade de morue et les refermer. Les rouler de façon à former un petit boudinet.

Couper 3 tranches de ce boudin par personne, et préparer ensuite la pâte à beignets en mélangeant et en fouettant la farine, la levure et la bière.

Faire chauffer l'huile d'arachide à environ 200°. Tremper les morceaux de morue dans la pâte à beignets puis dans la friture.

Assaisonner les haricots verts avec la vinaigrette, les disposer au centre de l'assiette et mettre les beignets autour.

67

Catherine Deneuve
Les couleurs de ce plat, le goût simple et tellement rare d'haricots verts fraîchement ramassés.
Et les beignets de morue, en souvenir du film "Le sauvage" dont j'ai beaucoup aimé le charme insulaire.

Huîtres chaudes à la mousseline de cocos

Ingrédients pour 4 personnes :

5 huîtres creuses par personne

30 g de beurre par personne

5 kg de haricots blancs, frais
de préférence

1/4 l de crème fraîche

Échalotes

1 feuille de laurier

Fond blanc de volaille

Faire cuire les haricots cocos dans un fond blanc, avec une feuille de laurier, entre 1 heure et 1 heure et demie. Lorsqu'ils sont bien cuits, en garder la valeur de 4 cuillerées à soupe et passer le reste à la moulinette pour obtenir une purée ; ajouter de la crème fraîche de façon à obtenir une consistance onctueuse, saler et poivrer.

Ouvrir les huîtres et les détacher de leur coquille en récupérant le jus. Faire réduire une partie de ce jus avec des échalotes. Monter au beurre et passer au chinois.

Pocher quelques instants les huîtres dans la sauce. Éviter de les faire bouillir car elles deviendraient caoutchouteuses.

Placer au centre de l'assiette les cocos entiers et autour 5 petites cuillerées de mousseline de cocos et poser chaque huître sur la mousseline. Faire réduire éventuellement le beurre émulsionné pour qu'il ait une belle consistance. Napper les huîtres avec le beurre.

François Mitterrand

Je me rappelle que François Mitterrand est arrivé en 2 CV, la première fois qu'il est venu ici ! Je lui dédie cette recette car je sais qu'il prend toujours du poisson et, souvent, des huîtres. Le mariage avec des cocos blancs apporte un côté terrien du sud-ouest à cette rencontre "terre-mer".

Salade de queues de langoustines aux haricots verts

Ingrédients pour 4 personnes :

12 pièces de langoustines
60 g de pignons de pin
20 g de truffes
500 g de haricots verts
1/2 l de vin blanc
1 carotte
1 oignon
1 tomate

Vinaigrette des haricots verts :
2 cuillerées à soupe de vinaigre de Xérès
2 cuillerées à soupe d'huile d'olive
1 cuillerée à café de moutarde
1 jaune d'œuf
3 cuillerées à soupe de fond
de langoustines

Préparer les langoustines crues : séparer le coffre de la queue et décortiquer la queue.

Faire revenir une carotte, un oignon coupé en brunoise, les têtes de langoustines et les coffres dans de l'huile d'olive fumante. Déglacer avec un demi-litre de vin blanc.

Mouiller avec un litre d'eau, ajouter une tomate et laisser réduire environ 1 heure. Bien écraser les coffres avec un pilon ou un mixeur, passer au chinois.

Préparer deux vinaigrettes différentes : une classique avec du vinaigre de Xérès, de l'huile et de la moutarde et une à laquelle vous ajouterez un jaune d'œuf et trois cuillerées à soupe du fond de langoustines préalablement obtenu.

Faire cuire les haricots verts 5 minutes dans de l'eau bouillante salée, les laisser refroidir et les égoutter. Assaisonner avec la première vinaigrette.

Placer les haricots verts au centre de l'assiette et napper l'assiette avec la deuxième vinaigrette (fond de langoustines).

Au dernier moment, poêler les queues de langoustines à l'huile d'olive environ deux minutes de chaque côté. Les dresser sur l'assiette autour des haricots verts et rajouter quelques pignons.

Il est important que les queues de langoustines soient servies tièdes.

71

Claude et Georges Pompidou
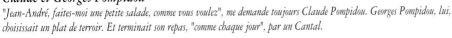
"Jean-André, faites-moi une petite salade, comme vous voulez", me demande toujours Claude Pompidou. Georges Pompidou, lui, choisissait un plat de terroir. Et terminait son repas, "comme chaque jour", par un Cantal.

Fricassée de légumes

Ingrédients pour 8 personnes :

500 g de carottes
500 g de courgettes
500 g de haricots verts
500 g de pois gourmands
500 g de petits pois
250 g de champignons
1 kg d'artichauts
8 fleurs de courgettes
1 échalote

Huile d'olive
10 cl de vin blanc
20 cl de fond de volaille
40 g de beurre

Tourner les carottes et les courgettes en olivette.

Préparer la duxelle de champignons : hâcher les champignons et couper l'échalote. Faire fondre l'échalote dans le beurre, ajouter les champignons, laisser cuire jusqu'à ce qu'ils aient évacué leur eau, sans cesser de remuer.

Cuire tous les légumes, sauf les artichauts, séparément à l'eau salée, et les rafraîchir à l'eau glacée.

Tourner les artichauts et couper les fonds en quartiers. Les faire revenir avec l'huile d'olive et mouiller avec le vin blanc puis le fond de volaille de façon à les couvrir. Laisser cuire une demi-heure.

Enlever le pistil des fleurs de courgettes et les farcir avec la duxelle de champignons, les faire cuire à la vapeur.

Au moment de servir, mettre les légumes dans une casserole, sauf les fleurs de courgettes et faire chauffer avec un fond de volaille. Mettre les légumes dans une assiette, incorporer dans le bouillon une noix de beurre, puis lier le bouillon et verser sur les légumes.

Ajouter sur le dessus la fleur de courgette.

Variante :
En fonction des saisons vous pouvez mettre d'autres légumes ; remplacer les petits pois et les pois gourmands par des haricots blancs, des fenouils, etc.
Quant à la fleur de courgettes, au lieu de la farcir de champignons, vous pouvez l'ouvrir en éventail et la faire frire dans de l'huile d'olive.

73

Wolinski
Ça me fait plaisir qu'un homme comme lui, avec les engagements qui sont les siens, aime Baumanière. En général, il choisit des légumes et je suis heureux de lui consacrer cette fricassée de saveurs et de couleurs de notre potager.

Œufs pochés au caviar d'aubergines et à la tomate

Ingrédients pour 4 personnes :

8 œufs
2 kg d'aubergines
1/4 l d'huile d'olive
2 kg de tomates
2 gousses d'ail
Thym
1 feuille de laurier
Sel, poivre

Préparer la concassée de tomates, éplucher l'ail et l'oignon, monder les tomates pour ne conserver que la chair.

Dans une grande casserole, faire dorer les gousses d'ail entières avec l'huile d'olive. Ajouter l'oignon haché et faire très légèrement réduire. Puis incorporer les tomates mondées, le sel, le poivre, le thym, le laurier et laisser cuire jusqu'à obtenir la consistance que vous souhaitez.

Préparer le caviar d'aubergines : après avoir coupé leur extrémité, envelopper les aubergines dans du papier aluminium et les faire cuire au four chaud environ une demi-heure. Ensuite, les couper en deux et avec une cuillère racler la chair qui doit se détacher facilement.

Mixer et finir cette purée avec de l'huile d'olive.

Dans une eau vinaigrée non salée, faire pocher les oeufs quelques minutes. Les sortir avec une écumoire et leur donner une forme à peu près semblable.

Sur assiette, poser les œufs sur le caviar d'aubergines et la concassée de tomate autour.

Jean Cocteau
Mon grand-père me racontait qu'il lui demandait toujours des œufs au plat, "ce qu'il y a de plus difficile à faire".
Je les ai un peu "méditerranisés" pour ce chantre des Baux qui a marqué notre maison de sa présence et notre terre de son imaginaire.

Crème de poivrons aux palourdes

Ingrédients pour 4 personnes :

20 g de beurre
1 kg de palourdes
1 demi-bouteille de vin blanc
20 g d'échalotes
1 poivron rouge
30 g de gingembre
1 pincée de safran
1 l de crème fraîche

Préparation des palourdes les mettre dans une casserole haute, dite "russe", avec les échalotes et le vin blanc. Faire bouillir jusqu'à ce qu'elles s'ouvrent. Avec une écumoire, les enlever de la casserole ; dès qu'elles sont un peu moins chaudes, retirer la chair des coquilles. Réserver les palourdes ainsi que le jus de cuisson.

Préparation de la crème de poivrons : mettre le beurre, le poivron rouge coupé en petits morceaux dans une "russe" et faire revenir. Lorsque le poivron devient légèrement orangé, crémer puis ajouter le gingembre, le safran et laisser cuire. Mixer le poivron et la crème à mi-cuisson. Ajouter le jus de cuisson des palourdes et laisser réduire jusqu'à obtenir la consistance voulue.

Passer au chinois et rectifier l'assaisonnement. Servir bien chaud en tasse, avec les palourdes au fond.

Michel Piccoli
Je dédie cette recette haute en couleur, à laquelle le gingembre ajoute une note un peu étrange, au peintre de "La belle noiseuse" et à l'hôte charmant avec qui j'ai eu plaisir à m'entrenir de la peinture de Guillaume Lescable, un de nos amis communs.

Gelée de ris de veau à la crème d'ail

Ingrédients pour 6 personnes :

1 l de fond de volaille
1 kg de ris de veau
2 têtes d'ail
1 l de crème fraîche
7 feuilles de gélatine
1 carotte
1 oignon
Céleri
3 blancs d'œuf

Commencer par blanchir les ris de veau et enlever les membranes qui les entourent.

Faire revenir les ris de veau dans une casserole, afin qu'ils colorent, avec la carotte, l'oignon et le céleri coupés en brunoise. Mouiller avec le fond de volaille, couvrir et les faire cuire au four environ 1/4 d'heure.

Mettre les ris de veau de côté pour les laisser refroidir.

Clarifier le fond de cuisson des ris de veau avec des blancs d'oeuf, comme on clarifie un consommé, c'est à dire fouetter les blancs rapidement dans un cul-de-poule et vider sur la cuisson. Laisser cuire à feu doux. Les blancs d'œuf doivent attirer toutes les impuretés.

Lorsque le fond de volaille a été clarifié, incorporer 5 feuilles de gélatine, également ramolies par l'eau froide et faire refroidir.

Avant que ce fond soit complètement gélifié, en verser un peu dans une terrine et laisser prendre au froid.

Pendant ce temps-là, blanchir les têtes d'ail. Les mettre dans la crème, faire réduire et passer le tout au mixeur. Ajouter 2 feuilles de gélatine préalablement ramolies à l'eau froide.

Passer la crème d'ail au chinois. La consistance doit être relativement épaisse.

Tremper des petits morceaux de ris de veau dans la crème aillée et gélifiée de façon à ce qu'ils soient bien enrobés.

Les disposer dans la terrine, remettre une couche de fond de volaille, laisser prendre et continuer ainsi pour remplir la terrine.

Laisser au froid 24 heures avant de démouler.

79

Marcel Maréchal et Pierre Arditi
Je les ai rencontrés lorsqu'ils jouaient Don Juan à La Criée, à Marseille. Ils venaient à l'Oustau les jours de relâche. Nous discutions longuement de théâtre, de gastronomie et de vin. Pierre Arditi est un passionné de Côtes du Rhone. Grand comédien, toujours un peu en représentation, capable de choisir les mets les plus raffinés ou de dévorer une poularde entière, ce plat dont les goûts se marient à "deux vitesses", est fait pour lui.

Raviolis de truffes aux poireaux

Ingrédients pour 6 personnes :

Pour 500 g de pâte à raviolis :
400 g de farine
15 g de sel
4 œufs entiers, 5 jaunes

Garniture :
25 g de truffes fraîches
4 poireaux
1 pomme de ris de veau de 300 g
Sel, poivre
Carotte, oignon, céleri
1 dl de crème
1/8 l de jus de truffes
20 cl de vin blanc
100 g de beurre

Faire votre pâte à raviolis avec 400 grammes de farine, 15 grammes de sel, 4 œufs entiers et 5 jaunes.

Travailler le tout, laisser reposer 2 heures. L'étendre très finement.

Faire dégorger les ris de veau à l'eau froide, puis les blanchir. Enlever les membranes qui les entourent. Les mettre dans une casserole avec les légumes (carotte, oignon, céleri) coupés en brunoise. Les faire revenir au beurre afin qu'ils colorent puis mouiller avec le vin blanc. Couvrir et mettre au four.

Sortir les ris de veau et les laisser refroidir afin d'enlever tous les filaments et membranes qui restent. Les couper en petits dés.

Faire cuire les blancs de poireaux taillés en petits carrés dans un peu d'eau salée et de beurre.

Pour la sauce, faire un jus de poireaux avec 1/2 litre d'eau et le vert des 4 poireaux. Laisser cuire une demi-heure.
Mixer, passer au chinois, ajouter 1 décilitre de crème et 100 grammes de beurre. Laisser réduire et incorporer le jus de truffes au dernier moment.

Faire les raviolis selon la forme choisie, badigeonner avec un pinceau trempé dans un œuf et y mettre une tranche de truffe fraîche, 1 dé de ris de veau braisé et une cuillerée à café de poireau cuit.
Assaisonner, refermer d'une autre abaisse de raviolis et les détailler. Après 5 minutes de cuisson dans une eau très salée, les égoutter et les tremper dans la sauce.

Disposer les raviolis dans une assiette creuse, ajouter truffes et ciboulettes hachées, recouvrir de la sauce et servir chaud.

81

Isabelle Adjani
Discrète, lointaine, son regard inoubliable caché derrière des lunettes sombres, elle paraît aimer l'Oustau et s'y sentir à l'aise.
Elle m'a demandé, plusieurs fois, de lui préparer ce plat. Je sais qu'elle aime le Saint-Emilion Cheval Blanc 76 dans lequel on retrouve les arômes de la truffe.

"J'eusse aimé de tout mon cœur pouvoir vous dire l'étymologie exacte de Baumanière sur laquelle il n'existe que des hypothèses. Alors il me plaît de croire à une origine inventée qui correspond tellement à la réalité de ce que nous faisons ici depuis bientôt cinquante ans.

Baumanière : belles manières, art de vivre et d'accueillir êtres et choses avec un sens aigu du bonheur."

Raymond Thuilier

Coquilles Saint-Jacques aux chanterelles et aux olives

Ingrédients pour 2 personnes :

8 belles pièces de coquilles Saint-Jacques
50 g d'olives noires
50 g d'olives vertes
800 g de chanterelles
10 cl de fumet de poissons
100 g de beurre
Sel, poivre

5 dl de sauce bordelaise :
1/4 l de vin rouge
1 échalote
1 cuillerée de fond de veau

Trier les chanterelles. Les laver. Les faire sauter une première fois.

Dénoyauter les olives, les couper en quatre et blanchir les olives vertes uniquement.

Ouvrir les coquilles, enlever le muscle, les nettoyer à grande eau, les égoutter.

Préparation de la sauce bordelaise : mettre 1/4 de litre de vin rouge des Côtes du Rhône et l'échalote crue dans une grande casserole. Laisser réduire afin d'obtenir 5 décilitres de liquide. Passer au chinois et incorporer le fond de veau.

Poêler les noix de Saint-Jacques. À mi-cuisson, les retirer, déglacer la poêle avec le fumet de poissons et la sauce bordelaise. Mettre les olives et le beurre.

Faire sauter les chanterelles au beurre. Les ajouter à la sauce.

Faire mijoter 2 minutes pour finir la cuisson des Saint-Jacques et dresser.

Madeleine Renaud et Jean-Louis Barrault
*Je dédie cette recette qui mêle les saveurs de la Provence aux fruits de la mer toute proche à ce couple mythique
du théâtre et du cinéma français.
Fidèles et charmants clients lorsqu'ils résidaient chez l'une de leurs amies, Madame Delbée,
dont la superbe maison accueillait beaucoup d'artistes.*

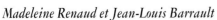

Daurade grillée au beurre de tomates

Ingrédients pour 4 personnes :

1,2 kg de daurade
100 g de farine
1/4 l d'huile
800 g de tomate
400 g de beurre
1/2 botte de ciboulette
1/2 botte de persil
1 bouquet de basilic

Monder les tomates, enlever les pépins.

Faire une purée de la chair.

Égoutter dans un linge pendant une heure afin d'éliminer une bonne partie de l'eau.

Mélanger cette purée de tomates crue avec le beurre, le persil haché, la ciboulette et le basilic ciselés.

Couper les escalopes de daurade. Les fariner et les passer dans l'huile et les mettre sur une grillade 2 minutes de chaque côté.

Quand elles sont grillées, servir avec le beurre de tomates.

Christian Clavier et Jean Reno
C'est Christian Clavier qui, le premier, découvrit une maison à Eygalière et vint en voisin chez nous. Puis, Jean Reno arriva à son tour, fit ses courses à Maussane, alla au bistrot du village, adopta notre château Romanin... Je dédie cette recette qui fleure bon notre région à ces deux "visiteurs".

Daurade au fenouil

Ingrédients pour 2 personnes :

1 daurade royale de 800 g
100 g d'échalotes
100 g de bulbes de fenouil
3/4 l de fumet de poissons
1/4 l de vin blanc
1/2 l de crème
50 cl d'huile d'olive
2 g de safran
2 g de badiane
Sel, poivre

Demander à votre poissonnier de lever les filets.

Préparation de la sauce : faire suer au beurre un bulbe de fenouil et l'échalote. Déglacer avec le vin blanc. Mouiller avec 1/2 litre de fumet de poissons.

Faire réduire et ajouter 1/2 litre de crème. Faire réduire à nouveau pour obtenir une sauce veloutée.

Préparation des fenouils en accompagnement : tailler le fenouil en cubes, le faire suer à l'huile d'olive. Mouiller à hauteur avec le fumet de poissons, ajouter le safran, la badiane, le sel et le poivre. Cuire une demi-heure environ.

Faire cuire les filets de daurade au four dans un petit peu de fumet de poissons pendant environ 3 minutes.

Dresser sur une assiette avec le fenouil safrané et la sauce.

89

Fernandel
Un poisson et un légume de Méditerranée, avec "l'accent d'ici" pour cet ami d'ici dont le portrait figure, en bonne place, sur les murs de l'Oustau.

Homard au vin rouge et sa polenta

Ingrédients pour 2 personnes :

2 pièces de homard de 400 g
75 cl de vin rouge
1 cuillerée de fond de veau
100 g de polenta pré-cuite
50 g d'échalotes
120 g de beurre
Sel, poivre
10 cl de fumet de poissons

Cuire la polenta et la mouler dans un plat creux. La laisser refroidir et la tailler en forme de batonnets.

Préparation de la sauce : faire réduire le vin rouge avec les échalotes ciselées. Réduire au 3/4.

Plonger les homards dans l'eau bouillante pendant 2 minutes, les décortiquer. Garder la carcasse extérieure de la tête et la queue pour la décoration.

Mettre les intestins et l'intérieur de la tête dans la réduction de vin rouge ; ajouter la cuillerée de fond de veau. Faire cuire à nouveau puis passer au chinois et monter au beurre.

Couper la queue du homard en médaillons et finir la cuisson au four avec le fumet de poissons, sans oublier les pinces.

Faire sauter les bâtonnets de polenta au beurre et les assaisonner avec sel et poivre.

Dresser sur assiette : mettre la polenta au fond de l'assiette, poser les homards dessus, les pinces et la sauce autour.

Servir bien chaud.

Grace de Monaco

Je me suis amusé à marier les goûts italiens de la polenta avec ceux du homard que l'on prépare, souvent, "à l'américaine" pour cette princesse dont la famille, depuis bien longtemps, a lié des liens d'amitié avec notre région. Son fils, le prince Albert, est marquis des Baux et les relations entre le Rocher de Monaco et celui des Baux sont très étroites.

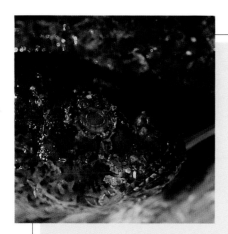

"La cuisine est une grille de lecture du monde, depuis la disposition du potager jusqu'au plat achevé en passant par l'ordonnance de la table et l'assortiment des convives".

Alice Toklas
Le livre de la cuisine
Éditions de Minuit

Queues de langoustines aux fèves

Ingrédients pour 4 personnes :

20 belles queues de langoustines
700 g de fèves
1 cuillerée de concentré de tomates
2 tomates
1 carotte
6 feuilles de basilic
1 oignon
60 g de beurre clarifié
1 branche de céleri
50 cl de crème fraîche
25 cl de vin blanc
75 cl de fumet de poissons

Commencer par décortiquer les langoustines crues. Pour cela les casser en deux et détacher le coffre. Il suffit ensuite de faire sauter le premier anneau et de tirer sur la chair qui se détache facilement.

Mettre les queues de côté. Broyer les carcasses grossièrement à la main avec un couteau batte ou au robot.

Préparer le fumet de poissons.

Préparation de la sauce : faire revenir, à la sauteuse, les petits dés de carotte, oignon et céleri dans du beurre, ajouter les carcasses de langoustines broyées, puis mouiller avec 25 centilitres de vin blanc et 50 centilitres de fumet de poissons. Ajouter 2 tomates coupées en morceaux, 1 cuillerée à entremet de concentré de tomate. Cuire 30 minutes à feu moyen, puis ajouter 40 centilitres de crème fraîche et laisser cuire encore 15 minutes. Passer au chinois, récupérer la sauce et la garder au chaud au bain-marie.

Préparation des fèves : ouvrir les cosses et enlever la première pellicule qui recouvre les fèves. Les tremper dans l'eau bouillante 3 minutes ; ensuite continuer de les faire cuire dans 10 centilitres de crème jusqu'à ce que celle-ci nappe les fèves ; ajouter le basilic haché sur la préparation.

Préparation des queues de langoustines : les poêler 2 minutes de chaque côté dans une grande poêle, à feu très vif, avec les 60 grammes de beurre clarifié – en les prenant par 6 ou par 8 – suivant la taille de la poêle, de manière à bien les saisir.

Présentation des assiettes : dresser les fèves vers le haut de l'assiette, déposer les queues de langoustines en dessous et les napper de la sauce.

93

Freddy Girardet

J'ai pensé que ce grand cuisinier, l'un des plus "spontanés" que je connaisse, aimerait le goût des fèves fraîches allié à celui des queues de langoustines. Les fèves sont un légume oublié que l'on mangeait à la croque au sel en Provence. Nous cueillons pour cette salade, de petites "fèvettes" du jardin, auxquelles nous enlevons la peau.

Elizabeth R

18th May 1972

Philip

Charles

Loup farci en croûte

Ingrédients pour 4 personnes :

1 loup de 1 kg
Sel, poivre
2 carottes
1 céleri
1 poireau
50 cl de crème fraîche
600 g de pâte feuilletée
1 jaune d'œuf

Pour la sauce :
1/4 l d'huile d'olive
Quelques feuilles de basilic
3 gouttes de vinaigre
1 cuillerée de tomate concassée

Préparation de la julienne de légumes : couper à la mandoline les tranches des carottes, le céleri et le poireau ; faire des petits bâtonnets d'un millimètre d'épaisseur. Les faire cuire dans l'eau salée.

Faire réduire 50 centilitres de crème.

Égoutter les légumes et terminer leur cuisson avec la crème. Laisser refroidir.

Prendre un beau loup de 1 kilogramme ; l'ouvrir par le dos et enlever l'arête centrale. Le farcir de la julienne de légumes froide.

Étaler la pâte feuilletée finement et découper au couteau une forme plus grande que le loup afin de pouvoir envelopper celui-ci. Badigeonner avec un jaune d'œuf et faire cuire environ 20 à 25 minutes au four à 220°.

Servir avec une sauce faite à l'huile d'olive dans laquelle aura macéré du basilic, la cuillerée de tomate concassée et 3 gouttes de vinaigre.

La famille royale d'Angleterre
Elle est venue en visite officielle, en 1972, avec une suite impressionnante. Et de l'eau pour préparer le thé !
Le loup en croûte, l'un des grands classiques de Baumanière, figurait dans le menu dont un exemplaire,
que nous avons conservé, s'orne de trois signatures... royales de simplicité.

Rougets au basilic

Ingrédients pour 4 personnes :

8 rougets barbets (80 à 100 g)
Fumet de poissons
Olives noires

Sauce pistou :
1/4 l d'excellente huile d'olive
1 bouquet garni
2 tomates
1/2 cuillerée à café de vinaigre de Xérès
1/2 échalote
Basilic

Commencer par demander au poissonnier de vider les rougets et de les écailler.

Préparation de la sauce (il est préférable de la préparer un ou deux jours à l'avance) : monder les tomates. Ciseler les feuilles de basilic et couper de petits dés dans la chair des tomates. Faire macérer le tout avec l'huile d'olive, le basilic, la demi-échalote finement hachée, le vinaigre de Xérès, le sel, le poivre. Laisser macérer la sauce un ou deux jours, elle sera plus parfumée.

Lever les filets de rougets et enlever les arêtes avec une pince à épiler.

Cuisson :
- soit plaquer les filets avec du fumet de poissons et les faire cuire au four 4 minutes environ ;
- soit les faire cuire à la vapeur de fumet de poissons dans un couscoussier côté chair sur la grille, environ 4 minutes également.

Dressage : mettre au milieu de l'assiette la tomate concassée avec l'huile d'olive, les filets de rougets par dessus, les olives noires taillées en bâtonnets autour de l'assiette et, au dernier moment, le basilic haché et une cuillerée de sauce sur les rougets.

Luciano Pavarotti
Je me souviens des indispensables litres de jus de citron montés dans la chambre de Pavarotti qui chantait, alors, à Orange. Et des difficultés que nous eûmes à lui procurer une – tout aussi indispensable – balance pouvant monter au-delà de cent vingt kilos ! Je dédie ce classique "léger" de notre cuisine à son énorme talent.

Filets de rougets au vin rouge

Ingrédients pour 4 personnes :

8 rougets barbets (80 à 100 g)
4 gousses d'ail
2 tomates
1 arête de saumon
1 mirepoix de : 1 oignon, 1 carotte,
1 céleri, 1 poireau
2 l de Côtes du Rhône rouge
2 anchois
500 g de pommes de terre
40 cl de crème fraîche
3 cuillerées à soupe d'huile d'olive

Préparation de la sauce : dans une casserole, mettre un peu de beurre et faire revenir une mirepoix de légumes (poireau, oignon, carotte et céleri). Ajouter l'arête de saumon tronçonnée, les 2 tomates et les gousses d'ail pilées. Mouiller ensuite avec les 2 litres de Côtes du Rhône et laisser réduire environ 1 heure.

Ecumer de temps en temps, ajouter à la fin les 2 anchois écrasés et passer au tamis fin.

Préparation de la purée de pommes de terre : faire cuire les pommes de terre à l'eau bouillante salée. Les égoutter et les passer au moulin à légumes. Ajouter la crème et l'huile d'olive.

Préparation des rougets : préparer les filets de rougets en faisant attention à enlever toutes les petites arêtes. Assaisonner et faire cuire à la vapeur 3 minutes environ.

Dresser sur une assiette deux cuillerées de purée de pommes de terre de chaque côté des filets de rougets.

Napper de la sauce que vous aurez monté au beurre.

Jean-Louis Trintignant
Il a une maison dans la région et vient souvent nous rendre visite. J'ai choisi cette recette pour lui, car il est un grand amateur de vins. Et pour "Rouge", le film qui m'a le plus marqué récemment.

Oui. Et pourtant nous nous connaissons peu.

Vous m'avez il y a quelque dix ans, en une phrase, exprimé votre esthétique, et votre éthique.

J'étais arrivé chez vous à trois heures de l'après-midi et sans doute même, plus tard. Je vous avais prié de m'excuser et je n'attendais de vous qu'un sandwich.

Vous m'avez répondu par une parole sublime :

"Je suis là, monsieur pour vous servir".

Et vous m'avez reçu comme si j'eusse été Prince.

C'est vous, monsieur qui étiez royal !

Le gentilhomme c'était vous. Par l'humilité. Par la grandeur. Par la qualité.

Extrait d'une lettre de Mathieu adressée à Raymond Thuilier.

Saint-Pierre à la Badiane et à l'orange

Ingrédients pour 2 personnes :

1 Saint-Pierre de 800 g
3 oranges
10 g de badiane (anis étoilé)
80 g de beurre
Fumet de poissons

Avec une orange épluchée à vif, faire des quartiers.

Avec les deux autres oranges, faire le jus d'orange et le mettre à réduire de moitié avec la badiane.

Lever le Saint-Pierre en filets et avec la tête et l'arête centrale, faire un fumet.

Monter au beurre le jus d'orange arômatisé à la badiane. Passer au chinois.

Braiser les filets de Saint-Pierre avec le fumet pendant 5 minutes environ.

Dresser un filet de Saint-Pierre au milieu de l'assiette et, tout autour, la sauce et 5 quartiers d'orange pelée à vif.

101

Mathieu
Je dédie le dessin précis, délicat et solaire de la badiane qui parfume ce plat, à Mathieu, peintre-calligraphe épris du siècle du Roi Soleil.
Et je le remercie pour la superbe lettre qu'il adressa à Raymond Thuilier pour ses 80 ans.

${\mathcal{F}}$ilets de soles aux supions et aux pâtes à l'encre noire

Ingrédients pour 4 personnes :

4 soles de 350 g
20 cl de fumet de poissons
3 échalotes
20 cl de vin blanc
1 g de safran
800 g de supions
45 cl de crème fraîche
1 tomate
Cerfeuil,
Pâtes à l'encre noire
1 cuillerée à café de concentré
de tomates

${\mathcal{C}}$ommencer par préparer les supions, les tailler en fines lamelles, les laver, les essuyer, les faire sauter avec l'huile d'olive dans une casserole très chaude. Déglacer avec le vin blanc, 2 échalotes, le fumet de poissons et une cuillerée à café de concentré de tomates. Laisser cuire 20 minutes environ.

Beurrer un plat à rôtir. Disposer les soles, ajouter le vin blanc, le fumet de poissons, 1 échalote. Mettre à four chaud 10 minutes environ.

Sortir les soles du four, lever les filets et les disposer sur une assiette.

Verser le liquide de cuisson dans une casserole, le crémer, ajouter le safran et laisser réduire jusqu'à l'obtention d'une sauce onctueuse.

Faire cuire les pâtes.

Dresser les assiettes en plaçant les pâtes au centre, les supions par dessus, les 4 filets de soles de chaque côté et napper de la sauce.

Christian Lacroix
A ses débuts, cet homme du sud a travaillé aux Baux dans l'atelier de l'immense graveur que fut Louis Jou, autre familier de notre maison. Je dédie cette recette à Christian Lacroix pour les couleurs jaune et noir, éclatantes comme ses robes.

Fricassée de soles au beurre de romarin

Ingrédients pour 2 personnes :

2 soles de 300 g
80 g de beurre
20 g d'oignon
1/2 poireau
80 g de champignons de Paris
1 bouquet garni
1/4 l de vin blanc
2 branches de romarin
25 g de carottes
50 g de courgettes
Ciboulette, sel, poivre

Lever les soles en filets et les tailler en goujonnette.

Faire suer les arêtes de soles au beurre dans une mirepoix (oignons, poireaux, champignons, bouquet garni).

Mouiller avec du vin blanc et de l'eau à mi-hauteur. Faire cuire 20 minutes. Passer au chinois.

Faire infuser les 2 branches de romarin dans cette cuisson. Monter au beurre (60 grammes environ) et passer au chinois.

Pocher les goujonnettes de soles dans le beurre de romarin, saler et poivrer.

Ajouter une brunoise de carottes et courgettes avec la ciboulette que vous aurez finement ciselée.

Alain Prost
Un plat léger pour ce sportif de haut niveau, maître dans l'art de la mise au point, qu'on appelle "le professeur". Je n'irai pas jusqu'à dire que l'aspect profilé, aérodynamique de la sole me fait penser à une Formule 1, mais…

Turbot aux épices

Ingrédients pour 6 personnes :

1 turbot de 2,5 kg
150 g d'échalotes
1 l de crème fraîche
1/4 l de vin blanc
1/2 l de fumet de poissons
30 g de gingembre
Épices "Orient de Baumanière"
(mélange de curry, cannelle et cumin)
1 crépine

Commencer par couper le turbot en tronçons ou demander à votre poissonnier de le faire.

Les paner avec le mélange d'épices Orient de Baumanière sauf sur le côté peau. Envelopper chaque morceau de turbot dans une crépine.

Préparation de la sauce : faire suer les échalotes, ajouter le fumet de poisson et le vin blanc. Faire réduire de moitié, ajouter la crème. Faire réduire à nouveau, ajouter le gingembre et une cuillerée d'épices "Orient de Baumanière".

Passer au chinois fin et réserver au chaud.

Dans une poêle, faire cuire chaque tronçon de turbot environ 5 minutes de chaque côté. Enlever la crépine et la peau et napper avec la sauce.

Marie Sara et Henri Leconte
J'ai connu Marie, petite fille de deux ou trois ans, lorsqu'elle venait à Baumanière avec son père, Antoine Bourseiller, un homme que j'aime beaucoup.
Au mois de janvier dernier, j'ai été très heureux d'accueillir les deux cents invités de son mariage avec Henri Leconte.
Ce fut une belle fête, "épicée" par leur personnalité hors du commun.

Canon d'agneau en croûte

Ingrédients pour 4/5 personnes :

2 carrés de 8 côtes d'environ 1 kg chacun
1/2 l de vin blanc
1/2 l d'eau
500 g de pâte feuilletée
1 tomate
1 carotte
1 oignon
1 poireau
Thym
1 jaune d'œuf
250 g d'oignons
2 kg de tomates
10 anchois
1 cuillerée à café de miel

Désosser les deux carrés de façon à obtenir deux boudins. Faire revenir les os et les parures dans de l'huile très chaude. Lorsque les os sont bien colorés, ajouter la carotte, l'oignon et le poireau taillés en brunoise. Mouiller avec le vin blanc et remuer avec une spatule en bois, pour déglacer les sucs, puis ajouter l'eau. Laisser réduire, rajouter la tomate et faire réduire à nouveau de façon à obtenir un bon fond d'agneau.

Préparer les tomates confites : monder les tomates et enlever les pépins. Mettre les quartiers de chair avec du thym et un filet d'huile d'olive, sur une plaque au four à 100° pendant 2 heures.

Préparer une compote d'oignons : les couper en rondelles et les mettre sur le feu avec 2 anchois et une cuillerée à café de miel. Laisser cuire doucement 3/4 d'heure.

Avec un lardoir, insérer dans la viande 4 filets d'anchois par carré.

Faire cuire dans la poêle, les petits boudins d'agneau, une minute de chauqe côté, pour qu'ils restent roses ou un peu plus longtemps pour une cuisson à point. Laissez refroidir.

Disposer sur le dessus une couche d'oignons et de tomates confites. Envelopper dans la pâte feuilletée, faire un petit décor, badigeonner du jaune d'œuf et enfourner à 250° pendant une dizaine de minutes.

Servir avec du jus d'agneau, bien parfumé avec le thym.

111

Le Shâh d'Iran et Farah Diba

Le Shah d'Iran et Faradibah sont venus chez nous lors d'une visite officielle en 1974. Je leur dédie cette recette qui est une variante de notre traditionnel gigot en croûte.

Gigot d'agneau en croûte

Ingrédients pour 4/5 personnes :

2 gigots de moins d'1 kg chacun
4 rognons d'agneau
Thym, romarin
Pâte feuilletée
1 jaune d'œuf
1 verre de Madère

Choisir 2 beaux petits gigots d'agneau d'un peu moins d'1 kilogramme chacun.

Enlever l'os du milieu avec un couteau à lame fine et pointue. Dégager les chairs de l'os pour arriver jusqu'à la jointure. Sectionner à cette jointure pour retirer l'os.

Poêler dans un peu de beurre des rognons d'agneau coupés en petits carrés. Déglacer au Madère, ajouter le thym et le romarin.

Mettre cette préparation dans la cavité laissée par l'os du gigot.

Reconstituer le gigot en rapprochant les chairs et en les fixant par 2 ou 3 points de couture. Saler, poivrer.

Frotter le gigot avec un peu de beurre.

Enfourner à feu vif pour saisir la viande.

Laisser cuire 15 minutes environ.

Retirer du four et laisser refroidir une dizaine de minutes.

Étendre finement la pâte feuilletée au rouleau. La découper en forme de trapèze et envelopper le gigot comme un bébé dans un lange.

Dorer le dessus au jaune d'œuf et remettre au four 10 minutes pour terminer la cuisson.

113

Pierre Dux
Je dédie le gigot en croûte, grand classique de Baumanière, à ce formidable comédien de la Comédie Française.
Ce fut l'un des chers amis de notre maison. Il bavardait pendant des heures avec mon grand-père. Et donna même, ici, des conférences sur le théâtre.

Gigot d'agneau de sept heures

Ingrédients pour 6 personnes :

1 gigot d'environ 2 kg
100 g de jambon maigre
100 g de lard gras
150 g de couenne
Sel, poivre, laurier, ail
2 oignons
2 verres d'eau
20 cl de vin blanc
Farine

Commencer par tailler le lard gras et le jambon en languettes.

Piquer le gigot de ces morceaux de lard et de jambon à l'aide d'un lardoir ; piquer également avec l'ail.

Garnir le fond d'une cocotte de couenne de lard. Couper les oignons en rondelles et les mettre par dessus. Placer le gigot sur le tout. Saler, poivrer, ajouter une feuille de laurier et mouiller avec l'eau et le vin blanc.

Coller le couvercle de la cocotte avec une pâte faite avec de la farine et de l'eau ; mettre un peu d'eau sur le couvercle et laisser cuire à feu doux 7 heures environ.

Veiller à ce qu'il y ait toujours un peu d'eau sur le couvercle de la cocotte.

Servir le gigot, qui doit se manger à la cuillère, comme un lièvre à la royale ou certaines daubes.

Marcel Pagnol
Quand je pense à lui, j'ai envie de rester proche des racines de ce chantre de la Provence. Cet agneau, mijoté comme au temps de nos grand-mères, avec ses ingrédients qui se fondent sans assemblage, lui va parfaitement.

Navarin d'agneau

Ingrédients pour 6 personnes :

1 kg de côtelettes d'agneau ou
1 épaule coupée en une dizaine
de morceaux
2 cuillerées à soupe de farine
1 gousse d'ail
1 l de bouillon de viande
250 g de carottes
250 g de navets
8 pommes de terre
1 cl d'huile d'olive
10 petits oignons
Persil
40 cl de crème fraîche

Dans une cocotte, faire chauffer de l'huile et revenir les morceaux de viande. Les dorer de tous les côtés.

Saupoudrer de farine, tourner avec une cuillère en bois, ajouter la gousse d'ail hachée.

Verser le bouillon qui doit recouvrir la viande. Couvrir et laisser cuire à feu vif 35 minutes.

Faire revenir les carottes et les navets au beurre en les tournant pour bien les faire dorer.

Faire cuire les pommes de terre à l'eau et les passer au moulin à légumes ; ajouter la crème et incorporer l'huile d'olive au dernier moment.

Ajouter les oignons, les carottes et les navets à la viande. Laisser cuire une demi-heure à feu doux.

Réserver la viande et les légumes au chaud et faire réduire la sauce. La dégraisser avec une louche.

Remettre le tout dans une cocotte, faire chauffer et servir avec la purée de pommes de terre à l'huile d'olive.

Charles Aznavour
Il a une maison près des Baux. Il m'a confié qu'à tous les plats sophistiqués, il préfère un simple ragoût accompagné d'une bonne bouteille de vin rouge.

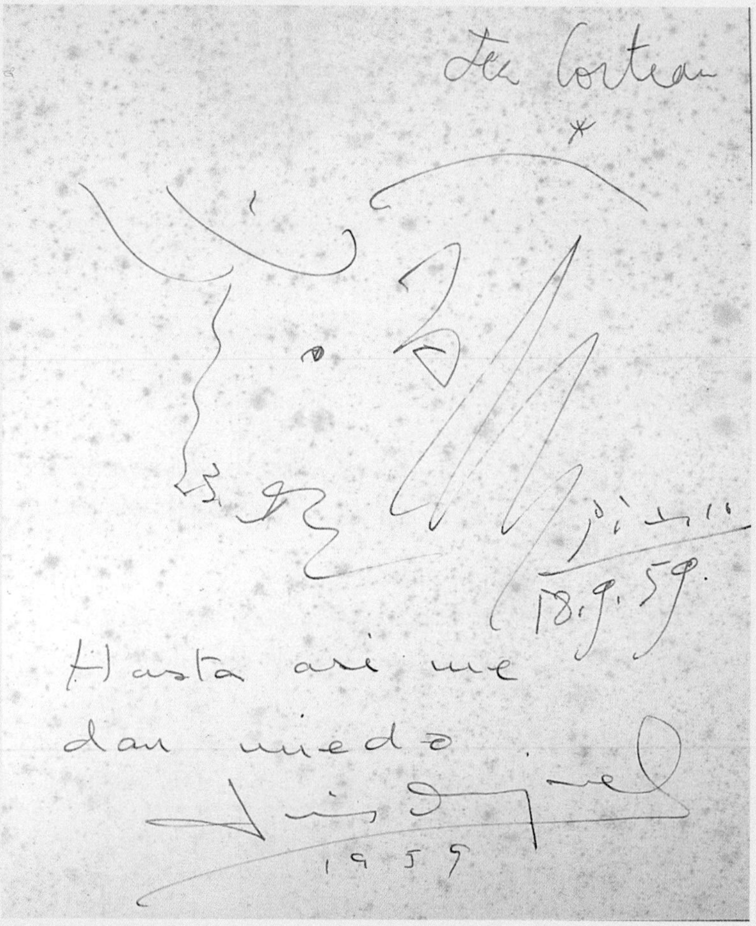

Jean Cocteau
18.9.59.
Hasta así me
dan miedo.
1959

Filet de bœuf à l'anchois

Ingrédients pour 4 personnes :

800 g de filet de boeuf
14 filets d'anchois à l'huile d'olive
1 bouteille de Côtes du Rhône
2 cuillerées à soupe de fond de veau
1 oignon
1 échalote
1 carotte
2 foies de volaille
80 g de beurre

Tailler la carotte, l'oignon et l'échalote en brunoise. Les faire revenir au beurre puis les cuire avec une bouteille de bon Côtes du Rhône.

Laisser réduire et ajouter les 6 filets d'anchois à l'huile d'olive, le fond de veau, les 2 foies de volailles hachés. Faire cuire environ 1 heure. Passer la sauce au chinois fin.

Dans un filet, couper des tranches d'environ 200 grammes et faire une incision à mi-hauteur de façon à pouvoir glisser des filets d'anchois à l'intérieur. Avec une ficelle, nouer les deux parties de chaque tranche comme un petit paquet pour les maintenir bien serrées.

Poêler les paquets, avec de l'huile d'olive, le temps nécessaire en fonction de votre goût (saignant, bleu ou à point). Lorsqu'ils sont cuits, enlever la ficelle, les dresser sur assiette.

Monter la sauce au beurre et napper chaque filet de sauce.

119

Picasso
Ce taureau dessiné par Picasso au moment du tournage du Testament d'Orphée (1958), à l'issue d'un repas avec Dominguin et Cocteau, est l'une des dédicaces à Baumanière qui me touche le plus. Que cette recette mériionale relevée d'anchois, comme en Catalogne, leur rende hommage à tous les trois…

Queue de bœuf braisé farcie au fois gras et aux truffes

Ingrédients pour 6 personnes :

4 queues de bœuf
1 chou frisé
150 g de foie gras
50 g de truffes
30 g de beurre
300 g de crépine
Sel, poivre

Fond de braisage :
200 g de carottes
200 g d'oignons
1 tête d'ail
1 bouquet garni
3/4 l de vin blanc

Cuire les queues de bœuf pendant 4 à 4 h 30 dans un bon fond de braisage : carottes, oignons, bouquet garni, ail et vin blanc dans 2 litres d'eau.

Lorsque les queues sont cuites, les retirer, les laisser refroidir et les décortiquer en essayant de ne pas trop les abimer.

Réserver le fond de braisage pour la sauce.

Blanchir fortement les feuilles du chou frisé et les rafraîchir dans de l'eau glacée. Les éponger et les étendre.

Disposer les filets de queues de bœuf sur la feuille de chou, puis un morceau de foie gras et de truffe, et ainsi de suite. Saler, poivrer, refermer en roulant afin d'obtenir un rouleau de 10 centimètres de long environ ; envelopper ce rouleau dans la crépine. Ficeler.

Pour la sauce : prendre le fond de braisage, le passer au mixeur et au chinois étamine. Monter légèrement au beurre afin d'obtenir une sauce bien onctueuse. Rectifier l'assaisonnement si besoin.

Au moment de servir, faire réchauffer les rouleaux dans la sauce.

Jacques Chirac
Je suis étonné qu'un homme politique de son envergure, avec son emploi du temps, consacre dix minutes de sa journée à téléphoner, lors d'une occasion grave ou simplement pour prendre des nouvelles. C'est un homme fidèle. Ami de mon grand-père, il l'est resté de cette maison. Je suis heureux de lui dédier un de ces plats populaires qu'il aime, longuement mijoté, comme la légendaire tête de veau. Un de ces plats dont on ne redira jamais assez la magie et dont nous gardons tous le souvenir plus ou moins enfoui dans un coin de notre mémoire.

Canette aux pamplemousses

Ingrédients pour 2 personnes :

1 canette de 1,7 kg
4 pamplemousses
25 cl de vin blanc
5 cl de vinaigre de Xérès
5 g de poivre du moulin
Mirepoix (1 oignon, 1 carotte, 1 poireau)
Thym, laurier
Fond de canard
4 cuillerées à soupe de beurre
25 g de sucre

Flamber, vider et brider la canette.

Dans une sauteuse, faire revenir les abattis jusqu'à coloration, puis faire suer la mirepoix avec 2 cuillerées à soupe de beurre. Déglacer avec le vin blanc, mouiller avec de l'eau, ajouter la garniture aromatique et laisser bien réduire.

Bien saisir la canette, la faire rôtir au four (275° à 280°) pendant 40 minutes environ, en la retournant et en l'arrosant bien.

Retirer la canette, déglacer avec le fond de canard réduit, puis laisser encore mijoter 10 minutes et passer le jus au tamis fin dans une casserole puis dégraisser.

Dans une casserole, mettre 25 grammes de sucre, 3 tranches de pamplemousse coupées en dés, un jus de pamplemousse. Faire caraméliser légèrement, déglacer avec le vinaigre de Xérès. Ajouter alors le fond de canard déjà utilisé. Assaisonner, passer au tamis fin et monter au beurre.

Préparer 2 cuillerées de zeste de pamplemousse coupé en fine julienne, bien blanchi et confit, ainsi que 2 tranches de pamplemousse également confites et de 2 tranches pelées à vif.

Glacer la canette au dernier moment, la dresser en la bordant de quelques cuillerées de sauce, des demi-tranches de pamplemousses cannelées et de la garniture indiquée ci-dessus.

123

Liz Taylor, Richard Burton
Pour la petite histoire, nous ne parvenions pas à faire entrer la mallette de bijoux de Liz Taylor dans le petit coffre de l'Oustau !
Pour ce couple de passion, j'ai choisi un goût amer-sucré qui me fait penser à "Qui a peur de Virginia Woolf".

"Rassembler, un même jour, une chopine pleine à ras bord de l'envie de faire plaisir à quelques convives, une once de gourmandise, quelques grains de fantaisie, une forte dose de concentration et, pour faire bonne mesure, un goût certain pour la fête, celle du palais, celle des yeux aussi, mais plus encore, celle du cœur".

Odile Godard
La cuisine d'amour
Actes Sud

Salmis de canards sauvages

Ingrédients pour 4 personnes :

2 canards colverts
1 oignon
2 échalotes
1 carotte
1 verre de Madère
1 feuille de laurier
1 brin de thym
30 g de farine
45 g de beurre
2 verres de vin blanc sec
2 cuillerées d'huile

Vider les canards, saler, poivrer et les brider. Hacher les foies.

Émincer la carotte et hacher l'oignon avec les échalotes.

Mettre 30 grammes de beurre avec les 2 cuillerées d'huile dans la cocotte et faire cuire les canards 20 minutes à feu moyen, en les retournant de temps à autre pour bien les faire dorer sur tous les côtés.

Après ce temps de cuisson, retirer les canards, découper les suprêmes et les cuisses qui doivent être saignants à l'intérieur et les maintenir au chaud, au four à 60°, dans un plat recouvert d'une feuille d'aluminium.

Hacher grossièrement les carcasses sur la planche à découper, puis les faire revenir 5 minutes dans la cocotte avec l'oignon, la carotte et les échalotes.

Verser les 2 verres de vin blanc sec, 2 verres d'eau et le Madère dans la cocotte pour déglacer, c'est-à-dire pour faire fondre les sucs qui ont caramélisé et attaché. Au besoin racler avec une spatule en bois et bien remuer. Ajouter le thym et le laurier et laisser cuire à feu vif une demi-heure.

Pendant ce temps-là, préparer un beurre manié en travaillant une noix de beurre avec un volume équivalent de farine.

La sauce ayant cuit une demi-heure avec les carcasses, la lier en incorporant le beurre manié et les foies hachés.

Laisser cuire encore 10 minutes, passer au chinois et remettre dans la cocotte avec les suprêmes (c'est ainsi qu'on appelle les blancs) et les cuisses pour les faire réchauffer 5 minutes.

125

Serge Gainsbourg

Nous sommes près de la Camargue et, au moment de l'ouverture, les chasseurs m'apportent des bécasses, des sarcelles, de petits canards sauvages ou des colverts. Ils m'ont appris à faire la différence entre la chair d'un oiseau tué le matin ou le soir, dont l'estomac est vide ou plein de poissons qui lui transmettent un goût désagréable. J'ai souhaité dédier les saveurs sauvages de ce plat au personnage en marge que fut Serge Gainsbourg.

"Il ne faut point nous méconnaître, nous sommes corps autant qu'esprit."

Pascal

Noisettes de chevreuil

Ingrédients pour 6 personnes :

2 kg de selle de chevreuil
1 bouteille de Châteauneuf-du-Pape rouge
Thym, laurier
2 oignons
Grains de coriandre
Mirepoix (1 carotte, 1 oignon, 1 poireau)
1 cuillerée de farine
1 cuillerée de gelée d'airelles
250 g de dattes
1 dl de crème fraîche
3 pommes
Safran
Sel, poivre

Acheter une belle selle de chevreuil et la faire mariner 24 heures dans du vin rouge de Châteauneuf-du-Pape, avec le thym, le laurier, les oignons, quelques grains de coriandre, le sel et le poivre.

Désosser la selle de façon à obtenir deux filets. Les couper en petits morceaux de 4 à 5 centimètres de longueur environ.

Préparation de la sauce :
Couper l'os en morceaux, le faire revenir avec une mirepoix, saupoudrer de farine et mouiller avec la marinade. Rajouter éventuellement un peu de vin rouge.
Laisser cuire à feu doux deux heures environ. Ajouter une cuillerée de gelée d'airelles, rectifier l'assaisonnement, passer au chinois fin. La sauce est faite.

Préparation des accompagnements :
- les dattes : les faire blanchir, afin d'enlever un peu de sucre, deux fois de suite dans de l'eau, les dénoyauter et les passer au tamis. Ajouter un peu de crème au moment de les faire chauffer.

- les pommes : les peler, les couper en quartiers et les faire sauter à cru dans un peu de beurre, ajouter une pincée de safran et veiller à ce que les pommes ne se transforment pas en purée.

Poêler rapidement les morceaux de filets de chevreuil afin que les morceaux restent bien roses. Les placer sur l'assiette avec un peu de dattes et de pommes au safran, puis napper avec la sauce.

127

Herbert Von Karajan
Il y a dans ce plat un côté germanique, construit, qui va bien me semble-t-il à ce grand chef d'orchestre. Et le chevreuil évoque le romantisme de la forêt autrichienne.

Feuillantine de pigeon au foie gras

Ingrédients pour 4 personnes :

4 pigeons de 400 g environ
100 g d'ail
120 g de foie gras de canard cru
200 g de graisse d'oie
4 feuilles de brick
1 œuf pour la dorure
100 g de beurre
100 g de chanterelles
500 g d'épinards

Pour le fond de pigeon :
1 oignon
100 g de carottes
2 dl de vin blanc
2 tomates
Thym, laurier

Commencer par faire un fond de pigeon avec les abattis, les cous et les ailes. Les faire revenir à l'huile très chaude, ajouter l'oignon et les carottes coupés en brunoise.

Déglacer avec le vin blanc et mouiller avec un litre d'eau. Ajouter les tomates, le laurier et faire cuire pendant 1 heure environ, de façon à obtenir un fond parfumé qui servira de base à votre jus.

Faire rôtir les pigeons 1/4 d'heure environ, si possible à la broche, ou au four. Les laisser refroidir légèrement.

Pendant ce temps, couper des escalopes d'environ 1 centimètre d'épaisseur, dans un beau foie de canard cru. Les faire revenir rapidement à la poêle (30 secondes environ de chaque côté).

Blanchir l'ail, c'est à dire le mettre dans l'eau froide et l'amener à ébullition, successivement dans 2 eaux différentes et le faire cuire 1/4 d'heure environ à feu très doux dans de la graisse d'oie.

Découper le pigeon, enlever la chair des cuisses.

Faire cuire les épinards dans de l'eau bouillante très salée. Les rafraîchir ensuite dans de l'eau glacée. Cuire également les chanterelles à l'huile très chaude. Récupérer le jus de cuisson et passer une deuxième fois au beurre.

Sur le plan de travail, poser une feuille de brick ronde badigeonnée avec du blanc d'œuf de façon à assouplir la pâte.

Disposer les épinards au milieu, puis un peu de pigeon, le foie gras, à nouveau du pigeon, quelques chanterelles et l'ail.

Refermer la feuille de brick et remettre 5 minutes environ au four chaud à 250°.

Passer au chinois le fond de pigeon, ajouter la cuisson des chanterelles et servir avec le pigeon.

129

Jean Vilar, Gérard Philippe… et tant d'autres
Difficile, dans nos terres du sud, de ne pas rendre hommage au Festival d'Avignon, à son créateur, et aux comédiens. Je dédie ce plat à ces merveilleux saltimbanques, éternels voyageurs.

Poularde aux cèpes

Ingrédients pour 2 personnes :

1 poularde de 1,6 kg
1 litre de crème fraîche
1 kg de cèpes
100 g de beurre
5 l de fond de volaille
10 g d'échalotes
Sel, poivre
10 g de beurre

Flamber la poularde sur le gaz, la vider, la brider et la cuire dans le fond de volaille pendant 45 minutes.

Trier les cèpes, les faire sauter une première fois.

Lorsque la poularde est cuite, la retirer et faire réduire le fond à glace. Ajouter les parures de cèpes et le jus des cèpes de la première cuisson.

Mettre la crème fraîche, faire réduire pour obtenir une sauce veloutée pas trop épaisse.

Faire sauter les cèpes au beurre et bien les faire colorer. Ajouter les échalotes hachées. Mettre le tout dans la sauce et rajouter la poularde coupée en quatre et désossée.

Faire mijoter une dizaine de minutes.

Jack Lang

*Lorsqu'il vient à Baumanière, Jack Lang commande, chaque fois, une poularde aux cèpes ou aux chanterelles, recette classique, que je qualifierais de "lyonnaise".
Je voudrais, ici, rappeler ce que la cuisine française lui doit. En effet, après une longue époque passée à répéter que la France était autre chose que la mode, les parfums et la cuisine, on a eu tendance à oublier l'apport de la gastronomie. C'est Jack Lang qui lui a redonné son rôle de composante de notre culture. Avec, notamment, la création du Centre National des Arts Culinaires qui, entre autres initiatives, recueille les recettes de notre mémoire collective et favorise l'éducation du goût à l'école.*

Ris de veau aux olives vertes

Ingrédients pour 4/5 personnes :

1 kg de ris de veau
1 carotte
1 oignon
1 céleri
1 poireau
1/2 l de vin blanc
Champignons de Paris ou chanterelles
Une dizaine d'olives vertes
1 l de crème fraîche

Choisir 1 kilogramme de ris de veau de chair fine et blanche. Les faire dégorger dans de l'eau froide puis les blanchir.

Enlever la membrane qui les entoure puis les faire revenir au beurre dans une casserole, afin qu'ils colorent, avec les légumes coupés en brunoise (carotte, oignon, céleri et poireau) ; puis mouiller avec le vin blanc. Couvrir et mettre au four.

Sortir les ris de veau, les laisser refroidir puis enlever tous les filaments et membranes qui restent.

Crémer le fond de braisage et faire réduire.

Pendant ce temps, faire cuire les champignons de Paris ou les chanterelles. Blanchir les olives vertes au moins deux fois, puis les dénoyauter et couper la chair en petites rondelles.

Passer la sauce au chinois et rectifier l'assaisonnement.

Couper les ris de veau en escalopes d'un demi-centimètre d'épaisseur. Mettre les champignons et les olives dans la sauce et napper les ris de veau.

133

Mstislav Rostropovitch
Un des plus grands mangeurs venu à Baumanière. Je me souviens, par exemple, de l'avoir vu terminer les assiettes de foie gras des amis qui partageaient sa table.

Rognons de veau à la moutarde

Ingrédients :

4 rognons
1 échalote
30 g de beurre
15 cl de crème fraîche
1/2 cuillerée de moutarde à l'estragon
1/2 cuillerée de moutarde au poivre vert
1/2 cuillerée de moutarde à l'ancienne
Sel, poivre
1/2 verre de Madère

Dégraisser les rognons, ou demander au boucher de le faire.

Éplucher l'échalote et la hacher. Couper les rognons en tranches, saler, poivrer sur la tranche.

Faire fondre le beurre dans une poêle et lorsqu'il est noisette, mettre les rognons. Faire cuire trois ou quatre minutes à feu très vif pour qu'ils soient bien saisis et qu'ils restent bien souples. Plus ils sont cuits, plus ils durcissent.

Mettre les rognons de côté sur une assiette et les laisser rendre leur jus.

Déglacer la poêle avec le Madère.

Ajouter la moutarde, la crème fraîche et laisser réduire.

Égoutter les rognons, les enrober dans la sauce et servir rapidement.

Variante :
On peut également les faire cuire entiers à la broche une dizaine de minutes. Les laisser reposer et les couper ensuite en tranches de 2 millimètres d'épaisseur.

Napper avec la sauce.

135

Michel Platini
C'est inimaginable, le nombre de manières de préparer un rognon ! Ceux-ci sont rôtis à la broche, ce qui leur donne une saveur nouvelle exaltée par le goût de la moutarde. Je les dédie aux talents multiples de ce grand artiste du ballon rond.

Fricassée de tête, langue et ris de veau

Ingrédients pour 6 personnes :

1/2 tête de veau (le cuir uniquement)
1 langue de veau
1 kg de pommes de ris de veau
200 g de carottes
200 g d'oignons
200 g de poireaux
100 g d'échalotes
8 clous de girofle
Sel, poivre

Accompagnement :
12 carottes avec fanes
12 petites pommes de terre
12 petits poireaux

Blanchir les ris de veau dans une casserole remplie d'eau. Enlever les membranes et les parures. Réserver les pommes de ris de veau.

Cuire la tête et la langue avec un bouquet garni, 4 oignons piqués avec des clous de girofle, 6 carottes et les poireaux pendant 4 heures environ.

Préparation de la sauce : faire suer les parures de ris de veau, bien les colorer, ajouter l'échalote hachée, les légumes de la cuisson de la tête et la langue et 1/3 de litre de la même cuisson. Faire réduire. Mixer, passer au chinois très fin.

Éplucher la langue de veau, la couper en tranches. Trier la tête de veau, la couper en morceaux.

Dans une casserole à fond épais, faire colorer les ris de veau au beurre, puis mettre la sauce. Recouvrir d'un papier aluminium et mettre au four 10 minutes environ. A mi-cuisson, ajouter la langue et la tête. Faire mijoter pour finir la cuisson des ris.

Faire cuire à l'eau bouillante 2 petites carottes avec leurs fanes, 2 petites pommes de terre tournées, 2 petits poireaux par personne.

Dresser sur assiette en mettant deux morceaux de tête, ris et langue de veau par personne, et les petits légumes.

Pierre Perret
C'est le genre de recette un peu "canaille", de rencontre de goûts imprévisibles, qu'aime ce fou de cuisine. Je suis heureux de la lui dédier.

Suprême de volaille à l'anchois et au romarin

Ingrédients pour 2 personnes :

1 poularde de Bresse de 1,7 kg
1 carotte
1 oignon
2 cuillerées de fond de volaille
2 louches de crème fraîche
Beurre
4 filets d'anchois
20 g de romarin

Commencer par couper les ailerons de la poularde, enlever la peau.

Pratiquer ensuite une incision profonde en pleine chair jusqu'à l'os de la carcasse, en longeant à vif celui du bréchet à droite et à gauche. Engager la lame du couteau dans l'articulation de l'aile et détacher d'une seule pièce toute la partie charnue. On obtient ainsi ce que l'on appelle le suprême.

Peler la carotte et l'oignon et les couper en petites rondelles. Avec un petit couteau, faire une incision dans la chair des suprêmes et enfiler de petits morceaux d'anchois. Pratiquer 5 à 6 incisions dans le suprême afin que l'anchois soit bien réparti.

Mettre dans une cocotte 30 grammes de beurre et faire colorer les suprêmes. Ensuite ajouter les morceaux de carottes et les oignons, les 2 cuillerées de fond de volaille, les 2 louches de crème, et laisser cuire à feu moyen un 1/4 heure environ.

Après cuisson, enlever les suprêmes de la cocotte et les réserver au chaud. Ajouter le romarin dans la sauce et faire réduire jusqu'à obtention d'une consistance onctueuse. Passer au chinois, saler, poivrer selon votre goût.

Escaloper les suprêmes en 4 ou 5 parties égales, les disposer sur l'assiette et napper avec la sauce.

César
Je lui dédie ce plat de volaille en souvenir du coq qu'il a dessiné pour notre maison.

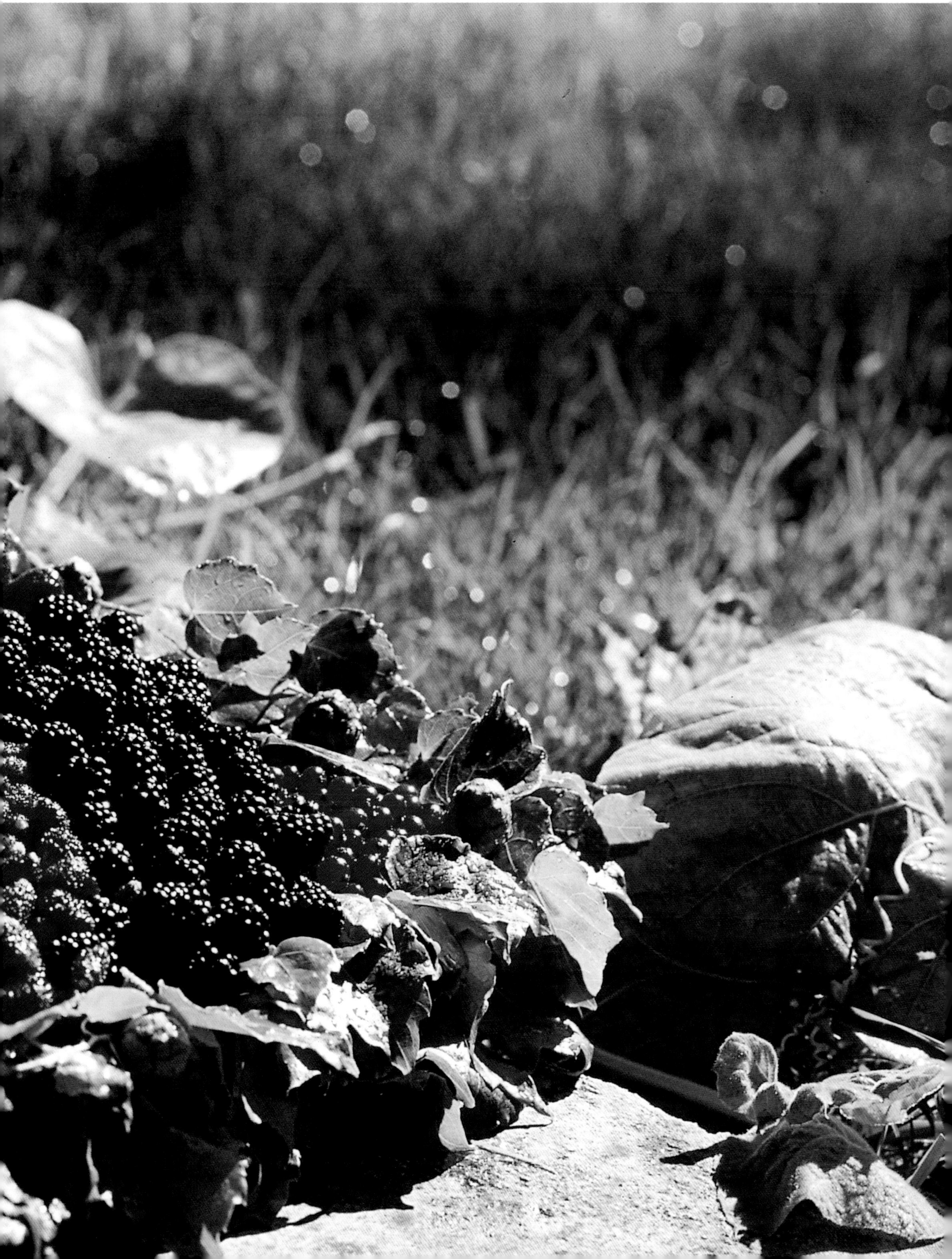

Beignets d'ananas au coulis de mangue, glace vanille

Ingrédients pour 4 personnes :

1 demi-ananas
Grand Marnier

Pâte à frire :
200 g de farine
50 g de sucre
20 g de levure
33 cl de bière

Coulis de mangue :
250 g de mangue
25 g de sucre
Glace à la vanille

Faire macérer les morceaux d'ananas pendant 2 heures dans du Grand Marnier.

Préparer la pâte à frire en mélangeant tous les ingrédients à savoir, farine, sucre, levure et bière.

Préparer également le coulis de mangue : peler et dénoyauter les mangues, passer la chair au mixeur, rajouter le sucre et passer au chinois.

Tremper les morceaux d'ananas dans la pâte à beignets. Les faire frire dans de l'huile d'arachide quelques secondes et les déposer sur un linge ou un papier absorbant pour les égoutter.

Les disposer sur l'assiette avec le coulis de mangue et une boule de glace vanille.

Marc Chagall
À lui ces beignets pour le côté venu d'ailleurs, que leur apporte la mangue.

Crêpes soufflées "Baumanière"

Ingrédients pour 4 personnes :

Pâte à crêpes :
200 g de farine
1 l de lait
4 œufs entiers
2 jaunes d'œuf
3 g de sel
100 g de beurre noisette

Appareil à soufflé :
1 l de crème pâtissière
2 oranges confites
1 dl de Grand Marnier
6 blancs d'œuf

1/2 l de crème anglaise
1/4 l d'extrait d'orange
1/4 l de sirop à 30°

Préparation de la pâte à crêpes : mélanger tous les ingrédients avec le lait froid pour obtenir une pâte lisse et fluide. Ajouter 100 grammes de beurre noisette, ce qui évitera de beurrer la poêle. Faire les 8 crêpes.

Préparer un appareil à soufflé à l'orange : mélanger dans un cul de poule la crème pâtissière, le Grand Marnier et les écorces d'oranges confites hachées grossièrement. Monter les blancs en neige et les incorporer doucement au mélange précédent.

Beurrer un plat. Disposer une crêpe, un peu d'appareil à soufflé sur une moitié. Refermer l'autre moitié par dessus de façon à obtenir une crêpe farcie en forme de demi-cercle, et ainsi de suite.

Préparer une crème anglaise (voir page 147) et un sirop à 30° en incorporant de l'extrait d'orange.

Mettre les crêpes au four à 200°, 5 minutes environ, afin qu'elles gonflent.

Saupoudrer de sucre glace à leur sortie du four et servir avec les 2 sauces au choix.

145

Édith Piaf
En souvenir d'un soir de fête généreusement arrosé. Venue ici avec Charles Aznavour, elle a loupé un virage en redescendant dans la vallée.

Fondant chaud au chocolat, crème anglaise

Ingrédients pour 6 personnes :

100 g de couverture de chocolat
100 g de beurre
65 g de sucre semoule
3 œufs entiers

Crème anglaise :
300 g de lait
30 g de crème fraîche
100 g de sucre
5 jaunes d'œuf
1 gousse de vanille

Commencer par faire fondre le chocolat et le beurre. Bien mélanger le tout afin d'obtenir une masse crémeuse.

Dans un autre récipient, mélanger les œufs avec le sucre en faisant attention de ne pas les battre trop énergiquement. Réunir les deux préparations et verser dans des moules préalablement beurrés.

Faire cuire les moules au four à 200° environ une quinzaine de minutes. Laisser reposer 10 minutes. Le centre du moule doit être légèrement coulant.

Préparation de la crème anglaise : faire bouillir le lait avec la gousse de vanille. Monter les jaunes d'œufs avec le sucre et incorporer doucement dans le mélange sucre-œuf une partie de la crème, puis la totalité et ramener à ébullition en faisant attention de ne pas faire trop chauffer afin que les œufs ne cuisent pas. Passer au chinois et laisser refroidir.

Démouler les fondants au chocolat sur une assiette et disposer la crème anglaise tout autour.

147

Jessie Norman
Me permettrais-je de dire que je dédie à cette grande dame le côté "craquant-fondant" de ce dessert qui, sous sa carapace de chocolat, est d'une irrésistible douceur.

"C'était il y a vingt ans. Je revenais du Midi. En ce temps-là, "le Midi" signifiait encore pour moi la côte, et rien d'autre. Je voyageais en voiture avec un ami, bon compagnon de route ; et nous décidâmes, attirés par un nom chantant, "Baumanière", d'accomplir un crochet par les Baux. Une réputation toute neuve, mais déjà étendue, assurait que le lieu valait d'y faire étape. Il le valait si bien que j'y suis, depuis, presque chaque année revenu, et souvent plusieurs fois l'an. Il ne suffit pas que l'homme ait le talent de l'accueil et qu'il excelle en l'art de vivre, pour lui-même et pour les autres ; il faut encore qu'il sache choisir le site où excercer cet art, et que la nature y ait eu, avant lui, du génie. De ma terrasse de Baumanière, j'ai découvert, j'ai appris, j'ai aimé le pays baussenc".

Maurice Druon

Millefeuille "Baumanière"

Ingrédients pour 4/5 personnes :

3 abaisses de feuilletage
1/3 l de crème pâtissière
1/6 l de crème chantilly
Sucre glace ou fondant

Faire trois abaisses très minces avec du bon feuilletage (voir livre de recettes p. 192 de "Baumanière chez vous" aux éditions Plon ou autre livre de cuisine). Laisser reposer. Piquer et faire cuire 1/4 heure à four moyen.

Superposer ces trois abaisses séparées entre elles d'une couche de crème pâtissière vanillée, mélangée d'un tiers de crème chantilly.

Glacer au fondant blanc ou simplement saupoudrer de sucre glace.

On peut aussi rajouter une couche de gelée de groseilles entre deux couches de feuilletage, ce qui donnera une petite saveur acidulée.

Au couteau-scie, découper des portions rectangulaires.

Ce dessert n'est bon que s'il est préparé au dernier moment. Sinon la crème ramolit le feuilletage qui perd tout son craquant.

Maurice Druon

Un classique des épilogues de notre maison pour l'un de ses plus fidèles amis. J'ai une très grande admiration pour les textes qu'il a écrit sur notre région, et pour "Splendeur provençale" le beau livre qu'il a réalisé avec des tableaux de mon grand-père.

Plié de chocolat aux fruits

Ingrédients pour 4 personnes :

300 g de couverture noire de chocolat
125 g de beurre
100 g de fraises, framboises, oranges
et pêches
3/8 l de pulpe de framboise
1/3 l de sirop à 30°
150 g de crème pâtissière
2 cl de Grand Marnier
150 g de crème fouettée

Faire fondre la couverture noire de chocolat avec le beurre. Mélanger la crème pâtissière et la crème fouettée afin d'obtenir une crème légère.

Tailler les fraises et les framboises en petits cubes et faire le coulis en mélangeant la pulpe de framboise, le sirop à 30° et le Grand Marnier.

Étaler la masse de chocolat et de beurre sur un marbre glacé (de préférence le mettre au congélateur afin qu'il soit vraiment froid).

Avec un cercle d'environ 18 centimètres de diamètre, découper des ronds. Garnir la moitié de rond de crème dessert et de fruits ; plier deux fois en deux afin d'obtenir un quart.

Dresser sur l'assiette avec le coulis et quelques fruits en décoration.

Sonia Rykiel
Au dessert, un soir, elle me demanda deux œufs frais crus. Un peu étonné, je les lui apportais. Je sus plus tard qu'elle les destinait à son shampooing !
J'ai appris, aussi, qu'elle est passionnée de chocolats. Moi aussi. Un des souvenirs les plus "goûteux" de mon enfance est celui d'une tartine de beurre
sur laquelle ma mère me râpait des paillettes de chocolat brun.

Soufflé au pain d'épices

Ingrédients pour 4 personnes :

120 g de pain d'épices
80 g de biscuits à la cuillère
110 g de beurre
50 g de sucre
1 cuillerée à soupe de canelle en poudre
30 g d'écorces d'orange confite
6 jaunes d'œuf

6 blancs d'œuf
40 g de raisins de Corinthe

Crème anglaise :
300 g de lait
30 g de crème fraîche
100 g de sucre
5 jaunes d'œuf
1 gousse de vanille
1 petite cuillère à café de liqueur d'Arquebuse

*P*asser au mixeur pain d'épice, biscuits, beurre, sucre, canelle, écorce d'orange et jaunes d'œufs. Cette opération peut se faire à l'avance et se garder au frigo.

Monter les blancs en neige bien fermes. Mélanger les blancs aux ingrédients mixés précédemment.

Beurrer des moules avant de les sucrer. Mettre le mélange dans les moules et ajouter quelques raisins de Corinthe au milieu.

Faire cuire un quart d'heure à 180° au bain-marie.

Préparation de la crème anglaise : voir page n°147.

Laisser reposer et servir avec la crème anglaise parfumée à la liqueur d'Arquebuse.

153

Zino Davidoff
En souvenir des odeurs de miel qui fleuraient autour de lui quand il s'attardait à table, avec son cigare et un verre de vieux rhum.

Soufflé chaud à la pistache

Ingrédients pour 10 personnes :

Crème pâtissière à la pistache
1 l de lait
8 jaunes d'œuf + 4 blancs
250 g de sucre
60 g de poudre à crème
20 g de farine
120 g de pâte à pistache (à acheter dans un magasin spécialisé ou une épicerie fine)

Lait d'amandes :
1 l de sirop à 30°
400 g d'amandes blanchies

Pour l'intérieur du soufflé :
10 g de pistaches concassées
10 g de noisettes grillées

Préparation de la crème à la pistache : faire bouillir le lait, monter les jaunes avec le sucre, la farine, la poudre à crème. Verser le lait bouillant et refaire cuire jusqu'à obtention de la consistance désirée. Passer au chinois.

Laisser refroidir et incorporer la pâte à pistache.

Prendre un peu de cette crème dans un cul de poule. Monter les blancs en neige bien fermes, sucrer légèrement à la fin. Incorporer les blancs dans la crème pâtissière à la pistache.

Beurrer et sucrer les moules à soufflé.

Remplir les moules et mettre au milieu les pistaches et les noisettes grillées concassées. Mettre les moules à cuire une dizaine de minutes à 230°.

Préparation du lait d'amandes : faire infuser 400 grammes d'amandes broyées avec le sirop pendant 2 heures. Les passer au mixeur puis au chinois.

Démouler le soufflé et servir sur une assiette avec le lait d'amandes.

Charles Trenet
Je suis impressionné par sa manière de jouer avec les mots, de les télescoper, comme dans "la victoire en cent ans". Je trouve que cette recette, joyeuse et légère comme ses chansons, lui va bien.

Tartelettes aux poires et aux épices

Ingrédients pour 10 tartelettes :

Pâte à tartiner à la noisette
2 kg de poires
1,2 kg de sucre
200 g de sucre glace
Noix de muscade en poudre
6 ou 8 clous de girofle
4 cuillerées à café de gingembre moulu
1 bâton de canelle
1 zeste de citron
1/2 gousse de vanille

Pour la pâte :
225 g de beurre
225 g de sucre
125 g de poudre de noisette
225 g de farine
5 g de poudre à lever
5 g d'essence de vanille
6 œufs
2 g de sel
1 zeste de citron râpé finement
5 g de quatre-épices

Préparation des poires : faire un sirop avec 2 ou 3 litres d'eau additionnés d'un kilogramme de sucre. Ajouter les différentes épices.
Préparer un caramel à sec avec le reste de sucre et verser ce caramel dans le sirop afin de le colorer.
Éplucher les poires entières, les vider par le bas à l'aide d'un vide-pomme.
Les faire pocher dans le sirop 15 minutes environ. Les poires doivent être cuites mais fermes. Laisser reposer dans le sirop.

Préparation de la pâte à tarte : travailler le beurre avec le sucre, puis ajouter successivement la poudre de noisette, la farine, la poudre à lever, les œufs, le zeste râpé, le quatre-épices, la vanille et le sel. Abaisser la pâte et en garnir des moules à tartelettes d'environ 10 centimètres.
Les mettre au four à 180° pendant 15 minutes environ.

Couper les poires en tranches verticales de 2 millimètres, mais seulement aux 2/3 de leur hauteur. Tartiner les fonds de tarte avec la pâte noisette, disposer les poires par-dessus.
Saupoudrer de sucre glace et faire carameliser au four.

Suzanne Flon
A cette délicieuse comédienne à la fois douce et piquante, passionnée de confitures, j'offre ces tartelettes qui me font penser à elle.

LES PRÉMICES

LA MER

LA TERRE

LES ÉPILOGUES

L'éditeur remercie :
Jean-Louis Ducarn à Paris et Claude Boudrot à Marseille
pour leur contribution à la conception graphique de l'ouvrage,
Bernard Chatton pour la "mise en assiette" des recettes,

Emil Perauer pour la photo de la cave de Château Romanin (p. 33),
Dominique Besnard de la Société provençale de photogravure
pour la réalisation de la mise en page,
David Hairion de Made in mouse à Maussane
pour le traitement des documents d'archives.

Conception, direction artistique, maîtrise d'ouvrage :
George Wilson à Lucenay,
Composition et photogravure :
Société Provençale de Photogravure à Marseille,
impression : Kapp Lahure Jombart à Evreux.

N° d'édition : 941 684 2

Dépôt légal : octobre 1995